集韻 三

五福五代堂古稀天子寶

八徵耄念之寶

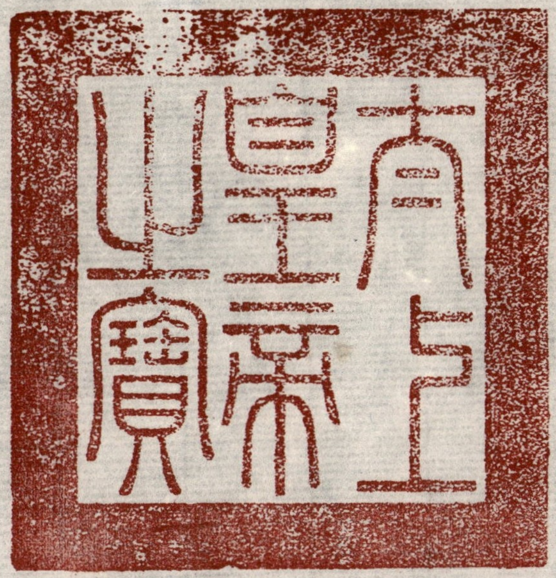
太上皇帝之寶

八徵耄念之寶

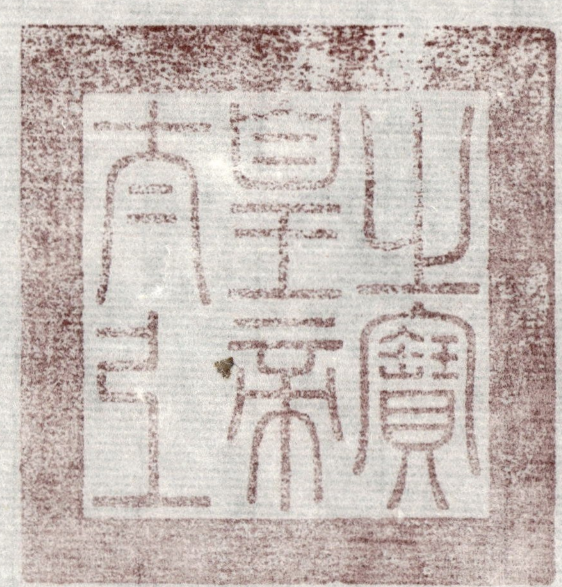
太上皇帝之寶

集韻卷之三

翰林學士兼侍讀學士朝請大夫尚書左司郎中知制誥判尚書都省提舉萬壽觀公事上護軍汝陽郡開國侯食邑二千一百戶賜紫金魚袋臣丁度等奉

敕脩定

平聲三

先第一 蕭前切與僊通　僊第二 相然切

蕭第三 先彫切與宵通　宵第四 思邀切

爻第五 何交切獨用　豪第六 乎刀切獨用

歌第七 居何切與戈通　戈第八 古禾切

麻第九 謨加切獨用　陽第十 余章切與唐通

唐第十一 徒郎切

一○先 蕭前切說文前進也一曰始也又姓文八 跣 蹁跣旋行皃一曰舞容 姍姺 姍姍行皃一曰便姍衣婆娑皃或作姺

䂼珗 石次玉也或作珗 豣 豕類 西 金方也 ○千 倉先切說文十百也文十三 仟 千人之長曰仟 阡 路南

北曰阡東西曰陌通作千 𤰞 三里田爲𤰞或書作圲 谸 博雅道也一曰山谷谸谸青也 芊 芊芊茂也 杄 木名 汘 說文水也

迁 撫謂之迁一曰伺候也進也表也 忏 方言自關而西秦晉之間呼好爲忏 帘 博雅頭帘幧頭也 盰 盰瞑遥視 奷 女字 ○

箋牋 將先切說文表識書也一曰編也古者書紀其事以竹編次爲之或作牋文三十四 菚 以色飾帛通作戔 㥏 小兒藉也

韉韀驏 馬被具或从戔从糸 籛 姓也 𣮉 毦屬 櫼攕 趙魏之間謂栗之小者曰櫼或作機 𣝹䉵 木香

名或作䉵 葏 艸皃詩葏葏者莪李舟說 濺濺 水名一曰水至也或作濺 濺淺㳚 淺淺水疾流皃或作淺㳚通作濺

諓 巧言也一曰淺薄皃 𨗨 說文自進極也一曰至也 黇戩 黃色或从㦮 轃輤 大車簀或作輤 戔 戔戔狠積皃一

曰顯見皃 殘 傳雅樺殘敁也 箔籛 蔽絮簀或作籛 臻 至也 亲榛 木名或作榛 榗 木名 沮 消沮小流 ○

歬㯰前 才先切說文不行而進謂之歬或作㯰隸作前文十四 媊 說文甘氏星經曰太白上公妻曰女媊居南斗食厲天下祭之曰明

十阡陌之制也又姓文三十七 佃 治土也古者一夫一婦佃田百畝一曰古鄉車 畋 ⿰犭田 甸 敶 說文平田也引周書畋爾田或从犬

亦作甸畋 窴 塡 鎭 說文塞也或从土亦作鎭 闐 說文盛皃 ⿰車甸 ⿰車田 輷輷車衆聲或从田通作顛闐 ⿰眞鼓 ⿰眞鼓⿰眞鼓鼓聲

磌 博雅礎碣磌磌也一曰石落聲 畇 地名在絳 眴 目皃大戴禮人生三月目眴然有所見 嗔 說文盛氣也引詩振旅嗔嗔 ⿰耳眞

聲盈耳也 譂 誕譂言不正 搷 擊也引也揚也 䟀 田躡地聲 鈿 鎮 金華飾亦作鎮 沺 水勢 滇 滇汚大水皃

貚 獸名貙屬 稹 槇 木根相迫也或从木 顛 憂思皃禮色容顛顛 鷏 鳥名蚊母也俗說此鳥常吐蚊因以名去 塵 夂也通作

寘塡 瘨 病也 撣 儲名山海經青要之山南望撣儲一曰人名漢匈奴日逐王先賢撣 驒 廣雅驒騱馬屬 ⿰阝田 地名 ⿰車眞 ⿰車眞⿰車眞喜動皃

瞋 眠瞋低目皃 ○秊 年 秂 寧顛切說文穀熟也引春秋傳大有秊或作年唐武后作𠡦亦書作秂文七 ⿰秊阝 ⿰年阝 說文

左馮翊谷口鄉或作⿰年阝 ⿱竹秊 竹名 姩 女字 ○蓮 靈年切說文芙蕖之實也文十四 憐 怜 說文哀也或作怜 ⿰麥粦 ⿰麥粦⿰麥粦

寒具于寳曰司徒儀吏死祭用⿰麥粦⿰麥粦 麊 麊 麊陵縣名在交趾或从連 零 先零西羌名 瞵 怒目皃一曰以目隨 泠 㲒 毛長

緫結也周禮羊泠毛而毳氈徐邈讀或作㲒 譂 ⿰口粦 誕譂言不正或作⿰口粦 嫾 女字 苓 艸名 ○堅 經天切說文剛也一曰固也又

姓文二十五 ⿰火堅 灼鐵淬之 鋻 剛鐵也 ⿰糸堅 ⿰糸臣 緊也或作⿰糸臣通作堅 ⿰忄弦 布名出東萊掖縣 ⿰扌弦 縣名在東萊 肩

肩 說文髆也一曰任也克也或从戶又姓 鈃 鬬人名六國時有宋鈃 幵 說文平也象二干對構上平也一曰羌名 枅 ⿰木肩 屋櫨

也或作⿰木肩 鵳 ⿰肩隹 鵳鵳鳥名鶁也或从隹 鳽 鳥名說文鵁鶄也 ⿱豣龍 說文龍耆脊上豣豣亦書作⿰豣龍 麉 說文鹿之絕有力者亦書

作麛 豣 猏 豜 說文三歲豕肩相及者引詩並驅从兩豣兮或作猏豜 鰹 魚名爾雅鰹大鮦 趼 夂行傷足謂之趼 菺 艸名

茙葵也 顅 長脰皃一曰頭少髮皃 ○牽 摼 撁 輕煙切說文引前也亦姓古作摼撁文二十五 开 羌謂之开一曰平也

縴 縴縼惡絮 掔 固也擊也牽也 岍 ⿰門开 山名在雍州或作⿰門开通作汧 汧 說文水出扶風汧縣西北入渭爾雅汧出不流謂水泉潛

出自停成汙池一曰水決入澤中者 邢 地名在河內周公子所封 雃 鳽 說文石鳥一名雝鰈一曰精列引春秋傳秦有士雃或从鳥 麛

鹿之絕有力者亦書作麛 蚈 蟲名螢火也 枅 屋櫨也 豣 ⿰豸幵 獸三歲曰豣或作⿰豸幵 犴 犬名 顅 長脰皃 牼 牛脉

下骨 ⿱竹開 戶板謂之⿱竹開䉼 臤 堅也 荓 秦荓藥艸 趼 獸跡也 俓 伎恨也急也 ○祆 馨煙切說文胡神也唐官有祆正一

曰胡謂神爲祆關中謂天爲祆文三 訮 說文諍語訮訮也一曰怒也訶也 仚 說文人在山上 ○賢 臤 賢 胡千切說文多才也一曰

善也大也又姓古作臤贒文三十二 𡚹妶說文有守也亦省或書作㛺 𢙣說文急也河南密縣有𢙣亭 𧺤趚說文急走也或

省 伭說文很也一曰亭名在安邑 𡅧難也聲也 誸言急莊子謀稽乎誸一曰堅正 㧥縣名在東萊 弦說文弓弦也從弓象

絲軫之形又姓 絃八音之絲也通作弦 㤢說文布出東萊 𠛉自刎頸謂之𠛉 痃癖病也 舷船邊也 礥𡅧難也

太玄有礥首一曰地險也或作𡅧 胘說文牛百葉也服虔說有角曰胘無角曰肚一曰胃之厚肉為胘 蚿馬蚿蟲名 蜆蚈蟲名爾雅

蜆縊女謂小黑蟲赤頭喜自經死或作蚈 𥶉箭笱 䒸說文艸也 𢏁說文艸木弓盛也 肩贏小皃一曰直皃莊子其脰肩肩李頤讀

弲吳王孫休子字 泫涀流一曰泫氏縣名在上黨 昡大目一曰國名 玹姓也 ○煙烟𡨋歅𡇬因蓮切說文火氣也或从因古作𡨋籀作歅𡇬文二十六

燕國名 鄢說文地名 閼匈奴謂妻曰閼氏 橪𣗮橪支木也一曰𣗮支

香艸或作𣗮 咽胭㖶𦛗說文嗌也謂咽喉也或作胭㖶𦛗 驠馬名爾雅白州驠 湮落也塞也 䔡竹名

禋祀天也詩頌肇禋徐邈讀 闉曲也莊子闉跂司馬彪讀 歅闕人名莊子有九方歅 𤞟獸名如牛四角白首 珚玉名山海經傳

山多珚玉 𧌤蟲名 𠛉剭也 嬿女字亦書作燕 𧛝𧛝袚婦人面飾 ○妍倪堅切說文技也一曰不省錄事也難侵也惠也安也文

十三 研說文䃺也 硯闕人名越有計硯通作研 𥕐說文摩也 趼蹏平正也爾雅騀蹏趼通作研 俓急也 盂椀也 雃

石鳥也 鳽鵁鶄也 䙫博雅㚄也 汧淨也 幵平也 麉鹿有力 ○涓圭玄切說文小流也引爾雅汝為涓亦姓文二

十四 䣺說文酒也 蠲蟲名說文馬蠲也引明堂月令腐艸為蠲一曰明也絜也 鵑䳪鳥名或从隹 蒷𦬹萒明

艸名祭以為藉或从玄 䅌𪌵𧃭說文麥莖也或作𪌵𧃭 睊睊睊側目相視皃 焆明也 蜎蜎蠉巧蟲 鞙馬勒

鋗鼏舉鼎也亦作鼏 鼘鼓聲詩鞉鼓鼘鼘 狷有所不為也 𤭛陶器 涓涓氏縣名在上黨 𡲬尻也 梋

盂屬一曰車環 𧗾車搖也 𦩏船前挑 ○鋗火玄切說文小盆也一曰無足鐺文十二 梋盌也 圓說文規也 矎博雅視也

讂譞多言也或作譞 嬛嬽貪色或省 駽說文青驪馬引詩駜彼乘駽 弲廣雅彈弲弦也 悁急也 鞙馬勒

○玄𢆯胡涓切說文幽遠也黑而有赤色者為玄象幽而入覆之亦姓古作𢆯文二十六 玆黑也 𣳄囦泫水深廣皃一曰水名

縣懸說文繫也或从心 𥌭目瞳子黑 訇𧦝說文漢中西城有訇鄉或作𧦝 胘牛百葉 𩓓題後 眩惑也

一曰視不明 眴眴瞋大目 伭仵很也或作仵 弲吳王孫休子字 玹玉色一曰石次玉 𩢍馬一歲名一曰馬黑色

閔試力士錘 誸急也 蚿馬蚿蟲名 狗獸名似豹而文少 妶女名 弦性褊急也 獧犬疾躍也 儇慧也○

淵𣶒㘿𠕋縈玄切說文回水也从水象形左右岸也中象水皃一曰深也古作𣶒㘿𠕋文二十六 弲弓隈也通作淵 痟骨酸

也 弲說文角弓也洛陽名弩曰弲 剈𠛾𠛼說文挑取也一曰窒也剜也或从困古作𠛼 鼘鼝咽鼘

說文鼓聲也引詩鼗鼓鼘鼘或作鼝咽鼘亦書作鼝 肙肙說文小蟲也一曰空也隸作肙 嬛博雅好也一曰嬛嬛美容 䢐說文行皃

鸛說文鳥羣也 蜎蜎蠉井中小蟲也亦姓 蜵蜎蜵巧蟲名 悁忿也魯連曰棄忿悁之節 裫衣曲也 棩木曲也

焆火皃 娟女字○ 犳崇玄切獸名似豹而文少文二 䞼疾走

二○僊僊相然切說文長生僊去隸作僊通作仙文二十九 仙木名出郝連 𠧧𨙻外高也或从丁 鮮說文

魚名出貉國一曰鳥獸新殺曰鮮又曰善也亦姓 𩺰說文新魚精也从三魚不變 鶣鳥名似鶴碧色 毨博雅毨毨羽也 躚蹮

蹮跰躚猶蹣跚也或省亦作蹮 䃱擣繒石 廯廩也 秈䄯籼䄯方言江南呼秔為秈或作䄯籼䄯 苮

艸名如莞 簯鮮户板謂之簡鮮一曰竹名 𡸊小山別大山曰𡸊通作鮮 𥫗仙竹名 仚山居長往也 邮地名 綫縷也 灿

大一、二十八

小六、八十六

集韻平聲二　五　正

女字 癬瘍也 䙪褊䙪衣皃 蕃蕃蕃艸木動皃○ 䙴遷拪𢪃親然切說文登也隸作遷古作拪𢪃文十八

與䙴𩓣𡕝說文升高也从舁囟聲或从卩隸作䙴古作𩓣𡕝 䣆邨說文地名或作邨 韆鞦韆北方

山戎戲以習輕趫者 櫏櫏杄梠櫏木名子如馬乳或作櫏杄通作遷 䉦箞䉦竹名 㾌痛也 攓拪也○煎子仙

切說文熬也文十 蕳說文艸皃 湔說文水出蜀郡緜虒玉壘山東南入江一曰手澣也洒也傍沾也 鬋女鬋垂皃 𡳐窘也今俗有𡳐

䟃語 㡐說文幡幟也亦書作幝 翦淺色周禮翦縏鷄纓 𡟫女𡟫星名 前揃箋識也或从手亦書作揃○次㳄

涎湺羨徐連切說文慕欲口液也或作㳄涎湺羨亦書作㳄文六 唌說文語唌嘆也○錢財仙切貨泉也一曰田器亦姓文六

蝝錢蟬蟲名或从錢亦作蟬 𥔲坂也 濺汘也○𦎟羶𦏺膻尸連切說文羊臭也或作羶𦏺膻文

十九 梴說文長也方言楚部謂取物而逆曰梴一曰揉也 梴木長皃詩松桷有梴 埏和土也通作挻 搧批也 扇摇䬙也

煽火盛也 脠醬生肉者曰脠 鯅魚醬也 䀡說文車溫也一曰巾帊䘰牛領衣 顫鼻徹為顫謂審於氣臭也 脠博雅

更也 䟓行也 貚獸名似兔 㒨盛也 烻光也○燀稱延切炊也文六 獔犬噬也 僤地名在魯春秋傳歸讙及僤

也○蟬 蟬 嬋 禪 僤

漹 湹 漸 廛 纏 躔 瀍

九十 㢆 㢆 㢆 擅 㙴 鄽 纏

螹 鐉 蟺 蟬 㹌 䗺 䡲 鱣 嬗 鸇

𡟟 㵧 潺 澶 ○ 䉭 潺 齴 鱣 蟬

覘 顫 饘 前 旃 ○ 次 㦼

諓 𥇿 羶 揃 擅 蟺 邅 蟬 輾 潺 ○ 揃 煎

㒖 㳭 椾 梢 渧 湔 𣶃 瀳 燀 鬋

𨸷 㬵 翦 𢆶 㦬 戩 撋 碊 𣀔

㒖 䪜 䇄 纏 ○ 𤓰 延 埏 梴 狿

集韻卷二 一三 平

八十 二百 八 十 六 八 十 六

蜒 筵 郔 莚 綖 𡚱 ○ 延 鋋 埏

䴼 梃 䘰 ○ 鯅 䗺 䗺 𧍙 仙

䪜 𡢃 ○ 𨷻 鮮 秈 𣱡 翾 𩐨 䳲 鮮 仙 ○ 𡨄 鮮 仙 𠑹

二 ○ 僊 僊 ○ 仙 仙 𨒥 僊 騫

𡹭 𡹭 𡹭 ○ 仙 𧋍 𢧐 嬗 𨔡

𢆶 𡹭 𥡉 㙨 𥡉 延 涎 㳄 次 沿 ○ 𣺬 𣶃

𣶃 𤔲 㢾 𡪝 ○ 沿 鈆 緣 圓 園 𡇍 ○ 䊔

𥰦 圓 圓 囩 囗 𥁠 𦁵 緣 𥚸 㳂 沿 ○

𧊅 𤱛 巘 𡋯 㽜 𤱛 ○ 次 絹 𤩪 鉛 ○

嘽嘽咺迂緩皃幝車敝皃闡開也明也○饘鬻𩟄飦健𩱼鬻糰餈餈
糰鬻諸延切說文糜也周謂之饘宋謂之餬或作鬻鬻餰飦健鬻鬻糰鬻文二十八旃旜襢說文旗曲柄也所以旃表士衆
引周禮通帛為旃一曰之也亦姓或作旜襢栴栴栴檀香木名或作栴氈說文撚毛也鸇鸇䲤鴅鷏
鳥名說文鸇風也籀从廛或从隹古作鴅鷏𤢟顫方言頷江湘之間謂之𤢟或从𤣩鄄地名在衛通作甄鷣鷣鳥堙山名
弓辭甄察也勉也○山所旃切土高有石曰山文一○鋋時連切說文小矛也文十五單爾雅太歲在卯曰單閼一曰匈奴酋
長曰單于姓擊鞮氏單于廣大皃言象天單于然禪靜也浮圖說嬋嬗嬋娟美容亦作嬗儃僤態也或从單撣
博雅撣援蟬蟺說文以旁鳴者方言蜩秦晉謂之蟬或作蟺澶說文澶淵水在宋埏地際也亶亶爰山名
牽引也韗韗韊車輴繟繟聯不絕皃○潺鉏連切水流皃一曰水聲文八孱說文迮也一曰呻吟也虥虎淺
文鏟小鑿𨍏車輴壥壥門聚名在睢陽棧栗屬𩥭驙禿○然𤉨如延切說文燒也一曰如也又姓古作𤉨
通作蘸俗作燃非是文十五嘫說文語聲也一曰讏蘸蘸說文艸也或作蘸肰𦙷聅說文犬肉也古作𦙷聅
大二十三小七三十一

集韻平聲三 六 正

𤡬猓𤡬猿屬色青赤有文𪄵鳥名嫸姓也著梧有嫸氏繎說文絲勞一曰紅色𥳏竹名由吾也𦯷野豆鋋
車缸○邅亶儃張連切邅難行不進皃或作亶亦从彳文九𧽠說文趁也驙說文駗驙也引易乘馬驙如一曰白馬黑脊驙
一曰馬載重難行鱣𧕉鱣魚名說文鯉也或从虫从廛澶水靜皃○脠抽延切說文生肉醬也文十六鯅魚醬㢟
說文安步延延也鋋長引也挻博雅長也一曰造取物梴說文長木也引詩松桷有梴方言碓機自關而東謂之梴獮獮猭獸走皃
鏈碰銅屬一曰廾也或从石譠博雅譠謾欺也𢓍獸名𨗴相顫行也䩥鞮也𢡚泣皃烻光也𢕟
獸名似兔○纏繵緾澄延切說文繞也一曰束也又姓或作纏亦省文二十襢衸襢禪也躔蹍說文踐也或从展
𧽠轉也廛壥墰厘鄽說文一畝半一家之居一曰廛市物邸舍或从土亦作墰厘鄽闤市門瀍水名出河南北
山入于河澶水名在衛一曰水皃蟺蟲名方言守宮秦晉謂之蠦蟺撣相纏不去也太玄提禍撣撣𦢊沐𦢊冃象別名獮獮猭犬走
皃墰聚名在桂陽○連𨍕陵延切說文負連也一曰連屬又姓古作𨍕文二十四謰嗹說文謰謱也或从口聯
說文連也从耳耳連於頰也从絲絲連不絕也摙博雅摙翻飛也漣風行水成文曰漣𢡚說文泣下也引易泣涕𢡚如通作漣僆僆孿

生也一日健倢不相及　灕山海經灕水出王屋山西北流注于秦澤　鏈𥕰說文銅屬或从石　槤簸也一日木名一日門持關謂之槤
令令居縣名在金城郡　𡟤𡟤娟眉細長皃　齴說文齒見皃　獵獵狳獸走皃　鰱說文魚名　梴長皃　䄡䄡禾也
縺縺縷不解　𧒽蜷𧒽蟲皃　聯攏也　𩜥𩜥饅寒具　○甄稽延切說文匋也一日察也免也亦姓文九　𧁒艸名豕首也
鄄地名通作甄　甄甄謂之鴾　鸇鸇屬　鷣穆天子傳鷣鳥山名　𢐄廣雅𢐄彈辯也　覭視皃　栞識也入山刊木以識
道也　○嘕𠹁虛延切博雅樂也一日笑皃一日嘕嘕喜也或从虔文七　嫣好皃一日長也　𡘚大皃　仚輕舉也　𦐔
䬛翻翻飛也或从飛　○延夷然切說文長行也一日陳也及也又姓亦州名文十八　𨑇行皃一日遞遁　𨓿相顧視而行也或書作睋
埏羨登也方也墓道也或作羨　莚艸名一日莚蔓相連屬皃　筵說文竹席也引周禮度堂以筵筵一丈　郔說文鄭地　綖
冠上覆通作延　䘰䘰牛領上衣一日車溫　鋋小矛也　蜒蟲名方言燕北謂易析曰祝蜒一日蝘蜒獸名一日蜿蜒龍皃　狿獸名
麆也　衍進也周禮望祀望衍鄭氏讀　挻取也周也　蚿蚰蜒蟲名亦書作蚿通作蜒　唌延延譊急皃　㚈女字　○漹
尤虔切水名文三　𧍧𧍧蠉蟲曲息也　焉語助　○焉於虔切說文鳥黃色出於江淮象形凡字朋者羽蟲之長烏者日中之禽舄者知太歲之
所在燕者請子之候作巢避戊巳所貴者故皆象形焉亦是也一日何也文九　漹說文水出西河中陽北沙南入河　嫣長皃　閼閼氏匈奴妻號
蔫說文菸也　鄢傿鄢陵縣名在潁川亦姓或从人　𧍧𧍧蠉蟲曲息也　㥤憶也　○愆𡫸僫遻
愆丘虔切說文過也或从寒省籀作僫亦作遻諐文二十二　平說文辠也从干二二古文上字張林說俗作愆非是　褰𧜀𧝓
𧝓說文絝也引春秋傳徵褰與襦或作𧝓攓褰　騫說文馬腹縶也一日虧也亦姓又邑名　𧾲蹇說文蹇行越越也或作蹇　攓
搴方言取也楚謂之攓一日縮也拔也或作搴　嗟嘕方言樂也一日嘕嘕歡皃或作嘕　㩃相援也　攐說文摳衣也通作褰
攓攑寨木名或作攓寨　○乾乾乹揵渠焉切說文上出也从乙乙物之達也一日易卦名健也亦姓籀作乹乾
或作健俗作乹非是文十九　筋大腱也　虔說文虎行皃一日恭也固也殺也　𠢽負物也　犍犍為郡名屬益州　鰬魚名
似鱓博雅大鰎謂之鰬　𨛫說文河東聞喜聚　騝爾雅騝馬黃脊騝　𥓂磌也　榩榩謂之梿一日構木為廩　鍵鑰牡一日車轄
揵舉也　靬驪靬縣名在張掖郡　𡐦州名　赶馬走　𠜾削也　○鞭夋卑連切說文驅也一日扑也亦曰馬檛古作夋
文四　鯾魚名似魴而大　𢔶博雅暴輿也　○篇紕延切說文書也一日關西謂榜曰篇又姓文十八　諞辯佞之言　偏徧

郭

說又頗也又姓史游章有偏吕張亦作徧 瘺 說文半枯也公孫綽有瘺枯之藥以起死者 頨 說文頭妍也从頁翩省 媥 說文輕皃 扁

扁 時也古作扁 翩 說文疾飛也一曰翩翩往來皃 鶣 鶣鷅輕皃 萹 艸名爾雅竹萹蓄似小藜赤莖節好生道旁可食 猵 猵狙

獜類一曰并類為牝牡也 甂 說文似小瓿大口而卑用食 覑 釸視 [扁刂] 削也 [弓扁] 弓反張也 編 列也 ○便 毗連切說文安

也人有不便更之一曰便便辯也亦姓文十三 平 平平辯治也 [口便] 辯 巧言也亦作便 㛹 㛹娟美皃 緶 博雅緶也

楩 木名似豫樟 箯 說文竹輿也 [虫便] [虫便]蚤蟲名沙蝨也 鯾 說文魚名 [豕便] 猪也 [艹便] [艹便]蘐艸名 [足便] [足便]行皃 ○

緜 綿 彌延切說文聯微也一曰纊之別名又姓亦州名或从糸文二十三 棉 杩 櫋 木名出交阯可為布或作杩櫋 矊 聯矊

目瞳子黑 宀 說文交覆深屋也 謾 [言帛] 慧黠也一曰欺也或作[言帛] [人帛] [人帛][人帛]低皃 芇 折財也一曰相當 蝒 蝒

蟲名說文馬蜩也或作蝒 [虫丏] 說文[虫丏]蚗蟬屬 櫋 木密皃 緍 [緍] 緍蠻小鳥皃或作緍通作緜 [宀百] [宀百]然猶悵然李頤說 媔

目美皃 檰 木名有子似栗 [糸丏] 細也 [女緜] 婂 女字或省 ○[鳥面] 巳仙切字林[鳥面]屬文二 搴 引取也史記搴長旗 ○

宣 宣 荀緣切說文天子宣室也一曰徧也揚也通也古作宣文二十 揎 撏 擐 手發衣或作撏擐 愃 江東呼快為愃

蝖 蟲名 [鳥宣] [鳥宣]鵲小鳥 䫰 [䫰] 圜 圓面也或作䫰圜 朘 縮也 瑄 璧大六寸也通作宣 翧 翔也 鍹 銚也

𢍁 博雅表也一曰手指 亘 說文求亘也从二从回象亘回形上下所求物也徐鍇曰回風回轉所以宣陰陽也 剶 削也 吅 呼聲 媗

女字 ○詮 逡緣切說文具也一曰擇言一曰解喻也文二十八 銓 硂 說文衡也一曰度也或从石 拴 揀也通作詮銓 痊 病除

也 佺 說文偓佺仙人也 跧 屈伏也 悛 說文止也 駩 爾雅白馬黑脣駩 絟 說文細布也 筌 取魚竹器 譔

說文專教也一曰殊也 謜 語和也 縓 絳色 恮 謹也 荃 艸名說文芥脃也 梭 木名如餘甘 繏 所以縣持也

剶 㓌 削也或从全 峑 山頂也 [匚全] 方言簙或謂之[匚全]璇一曰竹器 栓 博雅盂也一曰釘也 鐉 說文所以鉤門户樞也一

曰治門户器 輇 車下卑輪謂之輇 竣 退也國語已事而竣一曰改也 [目全] 目不明也 姾 女字 ○鐫 鋑 遵全切說文穿

木鐫也一曰琢石也俗作鎸非是文五 朘 縮也 剶 削也 睃 鬭人名漢有魯文王睃 ○旋 旬宣切說文周旋旌旗之指麾也一曰疾

也文三十四 還 𢕍 睘 復返也或从彳亦作睘通作旋 櫏 木名說文櫏味稔棗 檈 說文圜案也一曰以繩轉軸裁木為器

鏇 轆轤也 璿 璚 𣫊 叡 琁 璇 瓊 瑪 說文美玉也引春秋傳璿弁玉纓古作璚瑠作𣫊叡或作琁璇

瓊瓗
𦝂旋博雅短也一曰便旋小皃或省 嬛續也一曰輕皋 颴風回也 淀漩說文回泉也或不省 蜁蜁
蟲名博雅沙蝨蝬蜁也或省 圁圜說文規也或作圜 匴篹也 嫙𥋇說文好也或从目 𢴤引也 鷏鷏目水鳥
通作旋 儇姓也黃帝之後 梢椀謂之梢一曰車環 鏇魚名出梁州 暶明也 ○全仝𠓭從緣切說文完也一
說純玉曰全又姓或作仝古作𠓭文二十五 睉目眇視也 牷說文牛純色 泉𣶒灥洤說文水原也或作灥洤 蜶貝白
質黃文曰蜶通作泉 蟤蜿蟤虵名 騡駩白馬黑脣或从全 䲀魚名 還旋復也書還歸在豐徐邈讀或作旋
純投壺禮二筭為純 慱爾雅慱慱憂也郭璞讀 恮謹也 匴篹也 葲羊葲艸名 絟布細者曰絟 𩓐圓面
𠥊篹也 姾女字 跧行曲 ○穿穿昌緣切說文通也从牙在穴中或从身文九 川說文貫穿通流水也引虞書濬畎澮
距川言深畎澮之水會為川也 釧車釧也 𣶒衆流也 竁穿地也周禮甫竁鄭少贛讀 紃字林圜綠縚也 瑏玉也 耑盤穿
也 ○專朱遄切說文六寸簿也又姓文二十二 叀𡴀卣說文專小謹也从幺省屮財見也古作𡴀卣通作專 顓說文
頭顓顓謹皃亦姓 嫥𡟪說文壹也一曰女嫥嫥一曰〻愛皃或省 諯讓也數也 鄟邑名 鷒鸛鷒鳥名 鱄魚之美者亦姓

大百洮穴小七名單二

甎𤮯塼燒墼也或从耑从土 瑼玉名 篿楚人謂折竹卜曰篿一曰竹器 膞鳥胃 湍漙水名出鄘縣或从專
摶剸擅也一曰并合制領也或作剸通作叀專 𩠐斷首也 ○遄淳沿切說文往來數也引易曰事遄往文十六 篅圌
說文判竹圜以盛穀也一曰竹器或作圌 輇輲槫團說文蕃車下庳輪也一說無輻曰輇或从耑亦作槫團 𣟴椯說文
木也或省亦書作[illegible] 歂說文口氣引也亦姓 諯相讓也 膞磚陶人作器具周禮器中膞或作磚 𤮯江東呼盆曰𤮯 叀
小謹也 塼紡錘 ○船食川切說文舟也方言自關而西謂之船又姓或書作舩俗作舡非是文三 膞鳥胃 䁣目動也 ○
㬮曘堧壖而宣切說文城下田也一曰㬮郤也一曰游地或作曘堧壖文十九 䙇襦衣縫襵也一曰緣也或省 撋
擩㨎捼煩撋猶挼莎也或作擩㨎捼 瓀瑌珉也或从耎 繎絲難理曰絲勞 蠕蟲行皃 犉犉
黃牛黑脣曰犉或作犉 㧛博雅拄也 䳽鳥名博雅䳽雞也 瞤目動 ○栓所員切博雅栓釘也文三 篿治車軸也
欄豎木栰 ○恮莊緣切曲卷也文六 跧說文蹴也一曰卑也桊也 睉目眇視 蟤蜿蟤龍屈皃 佺偓佺仙人名
勬彊健皃 ○𨓈珍全切𨓈𨓈行不正皃文一 ○觲火全切角俯仰也文一 ○鐉椿全切所以鉤門戶樞也文四 猭

逯獸走皃或从辵 剶博雅剝也 ○椽重緣切說文榱也文五 傳說文遽也一曰轉也 縳卷也 掾陳掾馳逐也司馬正

說 猭獑猭獸走皃 ○攣𢒣聯閭負切說文係也或作𢒣聯文十七 䜌說文亂也一曰治也一曰不絕也一曰商

縣名屬鉅鹿古作𢺵 蹸蹸踞足病 癵𤸷膂病體拘曲也或作癵痿𤸷通作攣 蠻蠻蝽蟲名 臠臆臠驢馬

腹腴 㱳𡡾𤼴說文㱳也或作𡡾𤼴 𧄝艸名鳧葵也 膂瘦皃 ○沿余專切說文緣水而下也引春秋傳王沿夏文二十

一 鉛說文青金也 櫞果名似橘出交趾 捐說文棄也 鳶𪀗鳶鳶說文鷙鳥也或从弋亦作鳶 蔦鳶尾艸名

夜干也 爭以手循也 蝝蟲名說文復陶也一曰蚍蜉子一曰蝗子 緣因也一曰衣飾 鱌魚名 𩫖高也 允允吾縣名在金

城郡 玧玧瑥蠻夷充耳 𦞉短也 猭猭獮兔奔也 𡖔相循也 𢹰把也 棩車環謂之棩 船舟也 ○翾

𩙥翾隳緣切說文小飛也或作𩙥翾文十六 儇說文慧也一曰利也一曰舞皃 譞說文譞慧也 弲角弓也一曰雒陽名弩爲

弲 蠉蜎蟲行皃一曰井中小赤蟲或从肙 䞘疾走 嬛說文材緊也引春秋傳嬛嬛在疚一曰便嬛輕麗 𩓨頭妍也

𥉷目童子黑 澴漩澴波涌起皃 懁急也 獧疾也 𪚊龍脊堅骨 ○娟縈緣切美皃文十一 嬛便嬛輕麗

悁𢘽說文忿也一曰憂也籀从心 𡸁山阿 潫潫水深也 圓規也 蜎井中蟲名 睊視也 嬛眉皃一曰

好也 蝹蝹蝹龍皃 ○員鼎于權切說文物數也徐鍇曰古以貝為貨故數之籀从鼎文八 圜圓說文天體也一曰全也或作圓

湲潺湲水流皃 篔篔簹竹名 隕均也 縜采成文曰縜 ○嬽紆權切說文好也文三 潫奫潫大水 蝹蝹龍皃

○𢠵免負切恐也文二 諼欺也 ○勬勌拘負切勤力也一曰健皃或作勌文三 僒困也漢書僒若囚拘蘇林讀 ○

卷驅圓切縣名在河南一曰冠武文十八 桊弮弩弓或从弓 𢏳弓曲也 帣纗博雅幘也一曰小兒帽或作纗

棬桊𥂝圈䋔屈木盂也或作桊𥂝圈䋔 𨲆長也 𨞬鄉名在聞喜縣 拳拳拳奉持皃 埢圜墻也

錈屈鐵 𥳜揉竹 䐐身曲皃 ○權逵負切說文黃華木也一曰反常一曰稱錘又國名亦姓俗从手非是文五十一 拳說文手也一曰拳拳憂也一曰愛也亦姓

矔目眶 㾓手屈病 惓惓惓謹也 狋獾狋氏縣名屬代郡或从雚 觠𩓷說文曲角也一曰𦍶羊角三帀為觠或从頁

顴𩪍輔骨曰顴或从骨 臛博雅臛腂醜也 趯䟒說文行趯趢也一曰行曲脊皃或从

卷 踡𨇨踡跼不伸也或从雚 婘嬳嫺博雅好也或从雚从關 貛獾壯狼或从犬 犈爾雅牛黑脚犈

卷 踡 也或从 … 婘 …

圓 …… 員 ……

十

…… 沿 …… 鉛 …… 緣 ……

…… 攣 …… 孿 …… 臠 …… 欒 ……

…… 遂 ……

蠸說文蟲也一曰大螢也　捲捲垣曲墻也　齤齤說文缺齒也一曰曲齒一曰笑而見齒皃或省　卷[illegible]曲也一曰縣名

或从雚　[illegible]鸜鸛[illegible]鴾鳥名或作鸜鸛　[illegible]觀大視也或作覌　[illegible]圈盂也或作圈　彏弓曲謂之彏

虇萑葦之類初生者皆曰虇　蜷蟲名詰屈也　爟烽火　捲說文氣勢也引國語有捲勇一曰收也治也　腃吻也　[illegible]肩傴

皃　輇量度也莊子輇才諷說　鬈說文髮好也引詩其人美且鬈一曰髮曲　桊橐有底曰桊　巏巏務山名在柏人城東北　[illegible]

布名出蜀　[illegible]犬皃　[illegible]蟲入火皃　㕡深通川也　[illegible]爪轉也

三○蕭先彫切說文艾蒿也一曰肅也亦國名又姓文二十五　簫箾䰊說文參差管樂象鳳之翼或作箾䰊　櫹

橚櫹槮艸木盛皃或从肅　彇彇弓弭頭也或作彇通作簫　[illegible][illegible]擊也或从蕭　瞍目有眹無珠子曰瞍　瀟潚

瀟瀟風雨暴疾皃一曰水名或作潚　颵颾涼風謂之颵或作颾　艘船名　蟰蠨蟲名說文蟰蛸長股者或作蠨　慅爾雅慅慅

勞也　騷愁也一曰蒲騷地名　搜叟搜搜動皃亦省　熽熇也　[illegible]女名　繡綺屬○貂鼦[illegible]丁聊切說

文鼠屬大而黃黑出胡丁零國又姓或从鼠亦省文四十七　雕鵰說文鷻也籀从鳥又姓　鵃鶻鵃鳩名　鳭[illegible][illegible]鳥名

爾雅鳭鷯剖葦謂好剖葦皮食其中蟲或从召从隹　蛁虭說文蟲也一曰蛁蟧小蟬或省　敦弴弤畫弓也或从弓亦作弤

刀古者軍有刀斗以銅作鐎受一斗晝炊飲食夕擊行夜亦姓俗作刀非是　[illegible]刟[illegible]博雅斷也或从召从兆　琱說文治玉也一

曰石似王　錭錐也　彫[illegible]說文琢文也或从刀通作雕琱　凋說文半傷也　芀葦華　[illegible][illegible]艸名菰蔣也其米謂之[illegible]

[illegible]或作[illegible]通作彫　[illegible]留髮也一曰髮多　䂏博雅短也　[illegible]犬之短尾者　[illegible][illegible][illegible]說文短衣也引春秋傳有空[illegible]或作

裯[illegible]　[illegible]說文棺中縑裹或書作裹　𡖏奝大也多也亦从大　[illegible]說文目孰視也　[illegible][illegible]舟名或作[illegible]　鯛鮉

說文骨耑脆也一曰小魚名或从召　婤女名　椆椆苕木名　軺博雅柳車也　[illegible]山海經中山之東有祑[illegible]山　[illegible][illegible][illegible][illegible]

羽惡皃或从羽　齠毀齒也○祧[illegible]他彫切說文遷廟也古作[illegible]通作庣文二十七　庣不滿也　[illegible]剔也　挑說文撓也

一曰撥也引國語郤至挑天　[illegible]說文斛旁有庣一曰利也　[illegible]稻也　駣馬三歲曰駣　[illegible]銚[illegible]田器或作銚[illegible]通作[illegible]

佻恌窕[illegible]說文愉也引詩視民不佻或作恌窕[illegible]　趒雀行也　聎耳病也一曰耳鳴　覜見也　朓晦而

月見西方　蓧蓧艸名爾雅蓧蓨或作蓧　蓨說文苗也　條枝落也詩蠶月條桑　嬥嬥嬥往來皃　桃長枋可以持物於器

中者通作桃 脩縣名周亞夫所封 莜艸田器 ○迢遰田聊切說文迢遰也一曰迢迢高皃或从辵文四十八 跳
𨂝說文蹶也一曰躍也或从條 趒說文雀行也 佻㣶詩傳佻佻獨行皃或从彳 庣過也 嬥好也一曰嬥嬥往來皃
髫髫髦童子垂髮也 齠毀齒也 鬜髮多皃 卲卜問也 調稠說文和也或从禾 毜翶鳭毜鳭
鳥尾翹毛或从羽从鳥 鋚剟首垂銅謂之鋚一曰鐵也 鞗轡也 匜盄說文田器也或从皿 條樤說文小枝也一曰木
名或作樤 苕說文艸名 芀說文葦華也 莜艸田器 䇽竹名 卣𠧪說文艸木實垂卣卣然籀作𠧪 岧岧嶤山高
皃或書作岹 𧍝水蟲名山海經朱塗水中有𧍝蟰狀如黃蛇魚翼 蜩蚒說文蟬也引詩五月鳴蜩或从舟 鰷鯈𩶓
白鰷魚名或作鯈𩶓 鮡魚名似鮎白色 挑挒撓挑宛轉也一曰攪也或作挒 怊悵也莊子怊乎若嬰兒之失其母郭象讀 袑闕人
名莊子有巫咸袑 銚長矛也呂氏春秋長銚利兵 錊錐也 蓨說文苗也 峒山皃 𡜦女字 朷木枝落也通作條 ○
聊𦗷聛憐蕭切說文耳鳴也又姓或作𦗷聛文七十八 𣘱木名 膫膋說文牛腸脂也引詩取其血膫或从勞省 瞭
目明也 瞭明也 髎髖骨名一曰馬䏶上骨爲八髎 嘹嘹亮鳴也一曰嘫夜也 飉小風也 飂飂戾風聲 僚賤稱春秋

傳隸臣僚又姓 寮同官爲寮通作僚 廫寥𡾰說文空虛也或作寥𡾰 窷說文穿也論語有公伯窷 䜍說文空谷也一
曰空䜍深也 嶚嵺廣雅嶚巢高也或作嵺亦書作嶛嵺 镽埤蒼細長也 遼勞說文遠也或作𨘗一曰水名在遼陽縣
轑轑陽邑名在楚一曰軸也 摷動作擊也 撈取也通作摷 撩說文理也一曰取物 嫽說文女字也一曰相戲 憀說文
憀然也 憭方言慧或謂之憭 料量也春秋傳邑料虞君 敹說文擇也引周書敹乃甲冑 廖闕人名春秋傳有召伯廖亦姓
鐐鏐說文白金也或从翏 璙說文玉也 繆繚繆絲皃 繚纏也 𧬭𧬭讈巧言也 橑椽也 簝說文宗廟盛肉竹器
引周禮供盆簝以待事 𥳑竹名似苦竹而細軟江漢間謂之苦𥳑 䕩艸稀曰䕩 漻說文清深也 潦山海經潦水出衞皋東一曰渫
也 尞燔柴祭天也通作尞 尞姓也 燎縱火也焚也 熮說文火皃引逸周書味辛而不熮 𡑹周垣也 翏高飛也 鷯
雡鳥名說文刀鷯剖葦食其中蟲或从隹 𪆷鳥名天鸙也 獠𧳜獠爾雅宵田爲獠或从豸亦作獠 蟟蟧蟲名
馬蜩也或从勞 𤶭疾也 癆方言北燕朝鮮之間飲藥而毒謂之癆一曰痛也 勠𢧵𠟎并力也古作𠟎或作戮 膫漢侯
國名在南陽 𡽱山名 䕩艸名 顟高皐深目皃 𦪈舟名 僇且也願也通作聊 瘳病損也 樛木名 䜍

嵺名山 嵺名山 顤曰高皃 鷯鳥名 僚通作且也 寮頭也 憀也 嘹名本 膫說文牛腸脂也

漻說文清深也 瘳方言秦晉之間謂之瘳 䝢名 髎 𩕄名 寥空也

獠其中强以獵 㵳 獠夜獵也 遼通作 鐐 僚亦作

㝋 也 一曰穿也 遼通作 寮說文穿也 嘹 鷯一曰鷦

漻說文清深也 𡾰 簝說文宗廟盛肉竹器

𧐖 潦 漻 憭 嶛 一曰東海 䜍

鐐說文白金也 鷯 璙玉也 㺒 膫 鄝

䉍 𥶫 䉼 竂 獠 橑說文椽也 鄝一曰

䜍書 簝 燎 寮說文穿也 䉍

轑 一曰車輻 遼說文遠也 一曰水名

寥 𡨸 寮 嘹說文空也

𪆷 𩙫 𪆷 䜍

聊說文耳鳴也 一曰語助 𨝫 䝢 𩥯 鷯

聊 膫 䍡 𧐖

𪇆 䳂 貂 鼦 𦨖 𠞊

𥕢 𥺝 𥆨 𥂖 掉 刁

𦩷 貂 貂 𢬗 菬 刁

𡯨 㲁 鮉 䂏 鯛

𥡯 貂 㹦 岧 嶕

𥻕 弴 㣿 凋 琱 蟲 雕

鵰 𥅥 僬 錭 𣦨 鼦 貂

呺 㚋 彫 𢒉 𦚕 𣹜

蓚 𡒱 ○ 凋 澗 𢰌 琱

䃔䃔谷空皃 蹓 并州謂豆曰蹓 蟉 蟉蟉屈皃 憭 蓋弓也通作橑 蕉 艸器 ○驍 堅堯切說文良馬也一曰健也文二十九
梟 說文不孝鳥也日至捕梟磔之从鳥首在木上 県 說文倒首也賈侍中說此斷首到縣県字通作梟 鄡 縣名 嘄 說文聲嘄嘄也
蟂 𧉱 獺屬害魚者或作𧉱 獥 狼子 鷍 鳥名鷦鷯也似鳥蒼白色 僥 憢 儌 僞也或从敫 澆 𤄶
說文漢也一曰薄也或从梟 敫 𢿢 擊也或从堯 憿 激 說文幸也亦作激通作僥徼 邀 撽 遮也或从手 趬
行輕也 釗 爾雅勉也一曰弩機 噭 噭噭哭聲 𤸰 博雅腫也 徼 說文循也 嬝 女字 鐰 戟屬 瞗 視也 韟 韟轄
車亂皃 ○膮 馨幺切說文豕肉羹也一曰香也文十六 鐃 分臬一木也 嘵 譊 憢 說文懼也引詩唯予音之嘵嘵或从言从心
𤸰 𦢊 腫欲潰皃或作𦢊 𡙼 博雅大也 翗 鳭 翗毤羽皃或从鳥 獟 獷也漢書誅獟騁 撓 撓挑宛轉也
髐 髐然髑髏皃 顤 廣顤謂之顤 䜵 谷大皃 闉 門大開皃 ○鄡 𨛫 牽幺切說文鉅鹿縣一曰鄱陽縣名或从県亦
姓文十九 趬 蹺 說文行輕皃一曰趬舉足也或从 繑 說文絝紐也 顤 說文大頭也 𡙼 長大皃 敫 擊也通作𢾺
墽 磽也 寮 寮寥空也 髐 髐然髑髏皃 狢 博雅狢伉健也 𢿢 說文䭬田也 燆 火行也 蹻 引弓 撟 舉也

蹻 舉足 䃔 䃔䃔空谷皃 僬 僬僥多智 ○幺 伊堯切說文小也象子初成之形文十三 吆 吆吆聲也 怮 博雅憂也
遒 遠皃 䱂 魚名博雅鱔䱂鱮 宎 户樞聲也 穾 窔聲莊子宎者咬者 聁 瞟聁耳鳴 蟯 蟲名在人腹 犳 山海經隄
山有獸狀如狗而文首名曰犳 皀 望遠也 頊 頭小皃 纱 說文急戾也一曰小意 ○堯 𡉏 倪幺切說文高也从垚在兀上
高遠也古作梵文八 嶢 說文焦嶢山高皃或書作嶤 垚 說文土高也从三土 僥 說文南方有焦僥人長三尺短之極 顤 高長頭皃
蟯 蟲名在人腹 蕘 藥艸 ○藨 普遼切艸名爾雅藨麃文一 ○繅 子幺切蔴束也文四 幵 夘 非 事之制也
或作夘非 ○嬈 裊聊切煩也一曰心不欲也文一
四 ○宵 思邀切說文夜也从宀宀下冥也古作睄文三十八 踃 跳踃動也 消 說文盡也 霄 䨭 䨔 說文
雨霓爲霄或从雲从气 颵 颵颵風聲 捎 博雅揣抗搖捎也 逍 說文逍遙猶翱翔也通作消 痟 說文酸痟頭痛引周禮春
時有痟首疾或作𤸱 綃 說文生絲也一曰綺屬或作縿綃 銷 說文鑠金也 焇 曝也爍也 硝 硭硝藥石 蛸
蟲名說文蟲蛸堂蜋子亦姓 莦 艸根也 哨 口不正曰哨 翛 翛 䎄 翛翛羽敝也或作翛䎄 鮹 魚名 䝺 狂也

䴛博雅鹽也 𢯱長臂皃一曰纖殺也 梢周禮梢溝謂水漱齧之溝鄭衆說 𡙇張羽皃 魈𤡮山鬼或作㺐 俏

削俏然反琴聲李頤說或作削 肖衰微也史記申呂肖矣徐廣說 毨毨𣮐鳥尾翹毛也 𢪘擇取也挍也 萷箾𦻉艸木茂皃

○𣂐胸𣂐銚鍫喿𣂚操千遙切爾雅𣂐謂之疀或作胸𣂐銚鍫喿𣂚操亦書作鍬文二十五 𢱉

廣雅陗𢱉高也 𣐊上也 篍簫管一名篍 𢥠慘𢃗帞頭也或作慘𢃗 纱小意 繰帛如紺色 鍫以箴紩衣

通作繰 𦃬𪐴蕉𦄵麻苦雨生壞也或作𪐴蕉𦄵 摻持物也 稍博雅稍袩𥘗謂之褸衩 鄡地名在茆

愀色變也莊子愀然變容 ○𤋮焦𤉍茲消切說文火所傷也或省亦作𤉍又姓文三十 𤓰說文所以然持火也引周禮以

明火𪚰龜 𪚰說文灼龜不兆也引春秋傳龜𪚰不兆或書作𪚱 𩮋曾顛毛曰𩮋 蕉說文生枲也 膲三膲無形之府通作焦

鷦𩿬說文鷦鵰桃蟲也或从刀 茮椒𣏌木名說文茮菉一曰茮萸子聚生成房皃一曰椒山顛也亦姓 𣒔旱山無艸爲𣒔

噍噍噍鳥聲 𪈹收束也 鐎溫器說文鐎斗也通作焦 蟭蟭蟭蟲名螵蛸也 𩈛說文面焦枯小也 𥛹祭也 𥝎

短人謂之僬僥 嶕山名 湫夫湫地名在吳一曰人名魯有子服湫通作椒 萩𦺈闕人名萩大夫也或作𦺈 蕉𦄵布屬或从

焦 鷦鷦鵰神鳥似鳳 櫵木名皮堅黑若鐵生水中 嫶女字 ○樵𪒒𣖾慈焦切說文散木也或作𪒒𣖾文二十九

劁博雅斷也刈也 憔顦嫶癄醮憔悴憂患也或从頁从女从疒亦作醮 撨博雅擇也 𦗣𦗻耳鳴或

作聴 譙國名一曰樓也 鄵地名 嶕嶕嶢山峻皃 巢廣雅𡸇巢高也 鐎溫器形如銚 僬僬僥短人

湫水名在朝那 醮面枯也 䕧說文艸也 燋灼龜木周禮掌共燋契李軌讀 噍噍聲急也禮其聲噍以殺徐邈讀 蕉艸芥

也一曰艾刈 潐水名山海經當丞之山潐水出焉 軺軺車也 嘈聲也 䄟祖也一曰衣齊好 焦焦夷楚地名 ○

猋甲遙切說文犬走皃文四十二 飆颮颷飄說文扶搖風也或从包从勺亦作飄通作猋 表剽𠜂識也

或作剽𠜂 標木杪 摽擊也或从攴 杓說文枓柄也 瘭瘭疽病或作瘭 𩫛僄體壯也或从人

幖說文幟也 熛爂說文火飛也或省 墂封土爲識 嘌嘌磦山峯出皃或作嘌磦 𧾢說文輕行也

穮稻田秀出者 蔈陵苕之黃華者 篻竹長皃 驃衆馬走也 嘌疾也聲也 旚說文旌旗飛揚皃 贆貝名

爾雅貝居陸贆 髟說文長髮猋猋也 𦾼香艸也 爂輕脆也 膘膘脾腫潰也 鏢鑣刀鋒曰鏢或省 瞟惡視皃

巛列火 鱴角名 嫖女字 謤言有所止 ○漂㵱紕招切說文浮也一曰擊水中也或作㵱文四十二 杓北斗

栖星名 嫖僄說文輕也或从人 旚旚說文旌旗旚繇也或从麃 犥說文牛黃白色 鏢說文刀削末銅也 鷅

鷅鷅飛輕皃 飄猋說文回風也或作猋 慓博雅急也 謤言輕也 熛㶾熛火飛也或作㶾熛 瞟方言

曝乾物 飃飃颻風吹皃 彯彯彯長組皃一曰彯搖輕便也 摽擊也或从手 趮䟽說文輕行也或从足 翲

翲翲飛也 瞟覞明察也或从見 蟲蟲螵蟲名說文蟲蛸也或作蟲螵 嘌說文疾也引詩匪車嘌兮隸作嘌 膘

膘脾腫欲潰或从票 㯹囊張大皃 剽末也 鬃顠鬃鬃髮亂皃或作顠 蔈薸萍屬或从瓢 嫖女字

標木末 嶙山峯 ○瓢瓢毗霄切說文蠡也古作䕯文十一 飄回風曰飄 剽爾雅鍾其中者謂之剽 藨薸

萍也或从瓢 㯹說文㯹張大皃从槖省匋省 螵蟲螵蛸蟲名或作蟲 鄜地名 䕯䕯馥香皃 ○蟲蟲彌遙

切蟲名或从蛀文十 蚴蠽初生者 篻細竹 杪網細者杪 鷅鷅鷅鳥名挑雀也或書作鷅 繇旌絲也 薸瓢萍也

江東語或从瓢 㮹輕脆也 ○鑣鑣悲嬌切說文馬銜也或从角文十二 臕脂肥皃 儦儦說文行皃引詩行人儦儦

或从彳 瀌說文雨雪瀌瀌 穮穮說文耕禾間也引春秋傳是穮是衮或从耒 藨蔍艸名子似覆盆一曰藨苺茶別名或从

魚 鑣津名在匈奴中 麃麃麃武皃 ○苗眉鑣切說文艸生於田者一曰夏獵曰苗又姓文七 描畫也 貓猫爾雅虎竊

毛謂之虦貓一曰食鼠貍或从犬 緢說文旄絲也引周書惟緢有稽 魑蟲鬼 茅菅也易拔茅連茹鄭康成讀 ○燒尸昭切說文爇

也文二 䌛爪也 ○怊蚩招切奢也一曰怊悵失意文六 弨𢄊說文弓反也引詩彤弓弨兮或作𢄊 紹緩也詩匪紹匪游鄭

康成讀 祒闕人名莊子有巫咸祒 犆牛羊不生子也 ○昭炤之遙切說文日明也董仲舒曰食祝从火亦姓文十六 鵃

鵃鵃鳥名 招說文樹搖也 鉊說文大鎌也鎌謂之鉊張徹說 招說文手呼也又姓 駋馬名 釗說文刓也周康王名

一曰勉也一曰弩機 盄盈說文器也或作盈 破皾肉之皽莫或从亶 詔言誘也 鍣博雅鉎也 弨弛弓

妱女字 ○韶磬招時饒切說文虞舜樂也引書簫韶九成鳳皇來儀一曰美也或作磬招文十七 佋卲昭說文

廟佋穆父爲佋南面子爲穆北面或作卲昭 苕艸名 卟卜問也 靶擊也从卜 軺小車也 卲高也 柖樹皃一曰射的

劭爾雅勉也 苕芀艸名詩苕之華徐邈讀 祒桃別名通作柖 玿美玉 ○饒如招切說文飽也一曰益也多也又州名

亦姓文九獟博雅祆獟㔠衣橈艞方言楫謂之橈或从舟㹾牛馴伏蕘說文薪也方言蕪菁齊謂之蕘蟯說文腹中

短蟲也㨨順也㺒玉名○超癡宵切說文跳也亦姓文八欥欥歊氣上烝一曰健皃怊字林悵也帾帾紗細絲

昭喉鳴颾清風曰颾條枝落也詩蠶月條桑沈重讀鵃鳥聲○鼂朝陟遙切說文旦也亦姓隸作朝文三𦩍

姓也○鼂鼂晁馳遙切說文匽鼂也楊雄說匽鼂蟲名杜林以為朝旦非是篆从皀或作晁亦姓文十朝𦩍覲君之總稱又

姓古作𦩍通作晁𣶒潮說文水𦩍宗于海隸作潮通作朝狣獸絕有力𠑷俎几也䍮羊未卒歲為䍮一曰夷羊百斤為䍮

○燎離昭切火在地曰燎文五膋尻骨謂之膋繚繞也𣫍擇也摎搏也一曰縛殺○遙遥隃

踰餘招切遠也或作遥隃踰文六十七媱說文曲肩行皃一曰戲也傜使也通作繇䚻說文喜也自關以西物大小不同謂之䚻

䌛繇說文隨從也一曰憂也由也或作繇颻上行風也𣢾𣢾說文𣢾𣢾氣出皃或作𣢾窯窰說文燒瓦竈也或从缶

蘨蘨說文艸盛皃引夏書厥艸惟蘨古作蘨通作繇鰩魚名山海經泰器之山灌水出焉是多鰩魚鳥翼蒼文白首赤喙銚說文溫器也一

曰田器又姓姚說文虞舜居姚虛因以為姓或為姚嬈也史篇以為姚易也搖說文動也又姓䍃謠猶說文徒歌或作謠猶

大字七 小字六十

軺䡬說文小車也或从䍃䍃廣雅瓶也愮爾雅愮愮憂無告也一曰亂也通作恌恌方言理也謂情理邎進也一曰

相隨行陶陶陶和樂也繇瓢說文瓜也或作𤓰鷂雉名爾雅江淮而南青質五采皆備成章曰鷂褕揄褕翟王后

之服刻畫雞羽以為飾或作揄洮湖名在陽羨西烑光也䬙餌也𤺥𤺥瘽疾名𢏃𢏃說文弓便利也或从二弓旟

旗旒謂之旟榣說文樹動也一曰山名嗂說文喜也䠛說文跳也方言陳鄭之間曰䠛瑤說文玉之美者引詩報之以瓊瑤

䖴蟲名猺獸名一曰貘猺狗種鎐酒器嶢山皃䇱爾雅屋上薄謂之䇱鮡魚名似鮎白色爾雅鮡大鱯小者鮡燿

昭也䔛艸名䔛弋羊桃葉似桃子如小麥通作銚䟂博雅䟂䟂行也脁方言脁說好也緰帛也珧說文蜃甲也所以飾物引禮佩

刀天子玉琫而珧珌䔄䔄艸名蒲葉也或省䁘美目也𥊞明也䍃竹䍃支竹名犤牛名鞀𠤿鼗也或从

匚櫾木名○要腰𦟗𡝩伊消切說文身中也象人要自臼之形或从肉古作𦟗𡝩文十五邀徼遮也或从

彳褄纓衣襻也或从糸喓喓喓蟲聲葽說文艸也引詩四月秀葽劉向說此味苦苦葽也䳾䳾山海經鹿山有鳥名

曰鴾鶈其名自呼服之不眯或从隹蝹青蝹蛇名蟯腹中蟲櫻棗名子細署○翹祁堯切說文尾長毛也一曰企也一曰翹翹高

皃或書作趬文九 荍艸名說文蚍蜉也今荊葵 劭精異意漢書劭農蘇林說 䕯艸名連翹 嘺不知意 翹及飛曰翹 脩
俎几也 招舉也漢書以招人過 釗弩機也一曰逸也勉也 ○鴁于嬌切鳥名說文鴁鴞寧鴂也文三 鄡鄉名在湞陽 猇
縣名在濟南 ○媄妖於喬切說文巧也一曰女子笑皃引詩桃之媄媄或省文十三 䄏祅說文地反物爲䄏或省通作妖 枖
枖說文木少盛皃引詩桃之枖枖或从艸 䄏訞語祅祥一曰巧言或省 夭夭夭和舒皃 𡗳害物也 鴁鴁鵂鳥名
三首六目六翼六足 䬲餳也 紗紗縐𢓜小皃一曰紉未成而繚 ○囂嚻虛嬌切說文聲也氣出頭上或省文二十 呺⿰言号
号呺然虛大皃李軌說或作⿰言号号 枵說文木根也引春秋傳歲在玄枵玄枵虛也 歊⿰喬欠說文歊歊氣出皃或从喬 毊爾雅大磬
謂之毊 獢驕犬名說文猲獢也一曰犬短喙者或作驕 ⿰犭鄉犬黃白色 藃說文艸皃引周禮轂獘不藃 僥驕也 ⿱嚣鬲說文炊氣
皃 虈艸名說文楚謂之蘺晉謂之虈齊謂之茝 熇燆炎氣也或从喬 膮朕膟腫欲潰 嚣山名 ○蹺趬
蹻蹻丘祅切舉趾謂之蹺或作趬蹻蹻文十八 趫說文善緣木走之才 憍繑絝細也或从糸 顤大頭也 ⿱喬灬肥也
⿰豕喬豭也 驕馬壯皃 撟舉也 獟獷也 嘺博雅誺也 喬喬詰意不平 橇鞽橋泥行所乘或作鞽亦

从木 ○驕居妖切說文馬高六尺爲驕引詩我馬惟驕一曰野馬文十四 憍逸也矜也通作驕 嬌女字禹娶塗山之女謂之女嬌 穚
禾秀也一曰蕎艸長茂皃通作驕 鷮雉名長尾走且鳴 喬木枝上竦也 蕎藥艸大戟也 嶠山銳而高 簥爾雅大管謂之
簥 撟博雅取也一曰選也舉手也 矯矢躍出也神異經東王公與玉女更投壺千二百矯 轎車名 橋桔槔也 鱎白魚 ○
喬渠嬌切說文高而曲也引詩南有喬木又姓文二十五 僑說文高也 ⿱宀喬博雅客也通作僑 嶠爾雅山銳而高曰嶠或書作嶠
橋墧說文水梁也一曰圯墧从土亦姓 趫善緣木走 鷮說文走鳴長尾雉也乘輿以爲防釳著馬頭上 毊大磬 轎竹輿
嬌女字 蕎藥艸大戟也一曰麥屬 蟜蟞蟜蟻名一曰有蟜古諸侯 鐈說文似鼎而長足 蹻舉足行高也 翹高飛
⿱喬皿廣雅盂也 觽角曲 簥大管一曰田器 驕闕人名陳有袁驕 憍虛憍高仰也 穚禾既秀曰穚 撟舉手謂之
撟 嘺埤倉不知誰也 ⿱喬毛毨氍毨也 ○瀌蒲嬌切瀌瀌雨雪盛皃文三 藨麃艸名爾雅藨麃子似覆盆而大可啖或作
麃 ○毨相妖切⿱喬毛毨氍毨也文一
五 ○爻何交切說文交也象易六爻頭交也文三十四 肴餚說文啖也徐鍇曰謂已脩庖之可食也或从食 胶脛骨也

酘酘沽也或作酘　倄說文刺也一曰痛聲　姣娎說文好也或作娎　譑詨言不恭謹或从交　㤓慅也
恔說文憭也　絞絞蒼黃色或从爻　殽說文相雜錯也　𣑹木名博雅梔子𣑹桃也　校桷也　筊笅䉰
說文竹索也一曰簫之小者謂之筊或从爻从殽　崤郩山名在弘農亦从邑通作殽　㖴聲也　淆混淆濁水　洨說文水出常山
石邑井陘東南入泜郗國有洨縣　獶獿獿駭犬吠聲一曰獪也　虓虎聲一曰縣名在濟南　校枋也　𦾔博雅𦾔芟根也　𦵔
茭黃茅也根可治渴或作茇　佼效也像也　𣚂鬱𣚂也關中呼長杖曰𣚂條　○交居肴切說文交脛也文三十　斈說文放也
謂放效也　佼友也通作交　這說文會也通作交　詨詨矜誇也　敎令也　咬咬咬鳥聲通作膠　鉸削刀也　轂
囊也或从爻　摎束也　篍竹索　膠說文昵也作之以皮一曰欺也糾也又水名亦姓　艽秦艽藥艸俗作艽非是　鉸
樂器塤類　𨍭𨍭轕長遠皃一曰雜亂　漻漻淯水廣皃　郊說文距國百里為郊　嘐說文誇語也　鮫鵁鳥名說文鮫鶄
也一曰鮫鱸也或从爻　茭說文乾芻一曰牛蘄　蛟說文龍之屬也池魚滿三千六百蛟來為之長能率魚飛置笱水中即蛟去　鮫說文海魚
皮可飾刀　䊭粔粡粉餌　挍亂也一曰憤意　洨邑名漢有洨侯　鵁鵁鳥名爾雅鳭頭鵁似鳧不能行　骹膝骨也　乂乂乂　○

世明

敲擊搞丘交切說文擴擿也或作擊搞文二十八　骹骹跤蹺說文脛也或作骹跤蹺通作校　窯窯寥空寂
膠顤窅膠面不平或作顤　㤕㤕伢伏態　磽礉磝說文磬石也或作礉磝　䂭䂭礉戍名　鄗山名　庨
宮室高邃皃　墽墝墽塙嶢說文磽也或作墝墽塙嶢　頝頝贅不媚也　僇方言陳宋之間謂盛曰僇　校
几足也儀禮拂几授校　獶博雅擾也一曰獿忓多詐訥澀皃　敲擊頭也　嵺山谷深廣皃　○虓唬猇虛交
切說文虎鳴也或从口从犬文四十二　哮豞說文豕驚聲也或从豕　詨謼呼謞嗃誟嘮吳人
謂叫呼為詨或作謼呼謞嗃誟嘮　嗃警嗃迅聲　嘐嘐大也孟子其志嘐嘐一曰駭皃一曰啁嘐夸語或从号　烋咻烋烋
自矜氣健皃或从口　硣硣磟山勢　窙窙氣上烝或从穴　痚痚瘷喉病　庨庨豁宮室高皃　顤𩑰顤胡人面　髐
髑髏皃　髇骹髐鳴鏑也或作骹髐通作嗃髐　䫿䫿颲熱風　灱熇暴也或从高　涍水名在南郡　歊
穘艸皃或作穘　鵁鵁鳥名爾雅鵁頭鵁似鳧腳近尾或从爻　獶㹲犒說文犬獿獿咳吠也或作㹲犒　㑾㑾佬
大皃　㛴女字　笣竹名　亮謹也　○䫜於交切大首深目皃文十八　窅見深目皃或作見　眑眑膠面不平

鴢 鴢鶌鳥名曲喙 咬 哇咬滛聲 吠 吠咋犬多聲 坳 地窊下也 抝 戾也 軪 車聲一曰軪軋奇皃 梎 木柯曰梎

凹 窊也 泑 水名在長沙 窐 窐寥深遠皃 㺒 㺒獿犬吠 𡛼 女名 岰 山曲也 柪 曲木 ○ 聱 牛交切不聽也文十四

謷 不肖人也 嶅磝磽礉墽 說文山多小石也或作磝磽礉墽 㤉 忍㤉伏態 䚫摮

𩴵 擊也或从手从角 𩕂 頊𩕂不媚 嵺 博雅岑也 皰 皮堅也 ○ 包 班交切說文象人裹姙巳在中象子未成形也元氣起於子子

人所生也男左行三十女右行二十俱立於巳為夫婦裹姙於巳巳為子十月而生男起巳至寅女起巳至申故男年始寅女年始申也一曰本也亦姓文十三

胞 生兒裹也 泡 㶾泡盛也 勹 說文裹也象人曲形有所包裹通作苞 苞 說文艸也南陽以為麤履亦姓 笣 竹名出茘浦其筍冬

生 枹 木叢生曰枹通作苞 𨛌 說文姓也 峊 山名 鮑 闕人名楚有申鮑胥通作包 苴 天苴地名在益州 [illegible] 緑色也

媌 好也 ○ 胞 披交切說文兒生裹也文十六 脬 說文膀光也通作胞泡 抛摽㧡抱 棄也或作摽㧡抱

䍖 覆車罔也 泡 說文水出山陽平樂東北入泗或曰浮漚 嘐 言不實而夸 𦰡 藥艸或从[illegible] 𨛌 地名 僇 大盛

也 穮 穮䅦禾虛皃 𠣾 牛行足外出也 鮑 魚名 ○ 庖 蒲交切說文廚也通作包文三十四 炮炰 說文毛炙肉也或作

炰 胞 肉吏也 咆𡂡𠿬 說文嗥也或从麃从雹 掊捊抱 引取也或从孚从包 𦔮 耕也 跑 蹴也

鉋 平木器 鞄 柔革工 𩍏 赤黑桼 颮 風聲 泡 泡泡流也一曰盛也 麃麅 說文麞屬或作麅 狍 獸名

目在脤 匏瓟包苞 說文瓠也从包取其可包藏物或从瓜亦作包苞 𡾰 山名 藨 艸名子似覆盆 骲 骨鏃也

軳 車軨一曰戾也 篻 竹名 刨 削也 齙 齒露 嘐 大言不實 𠣾佨 脛交也或作佨 ○ 茅 謨交切說文菅也一

曰明也亦姓文二十一 媌 說文目裏好也方言河濟之間謂好而輕者為媌 緢 絲旋曰緢 描 打也 罞 爾雅麋罟謂之罞 貓

猫 食鼠貍也或从犬 犛氂𤛒髦 說文西南夷有長髦牛也或作氂𤛒髦通作貓 𡸊 山名 渵 大水皃 鶜 鳥名鶜鴟也通作茅 蟊蝥𧒎 蟲名說文盤蝥也或作蝥𧒎 𧖴 蟲名說文蠿蟊也方言蝴蟧謂之蠿蟊 昴昴 西方宿也

詩維參與昴徐邈讀古作𣅳 䅦 穮䅦禾不實 ○ 梢 師交切說文木也或作箾文二十九 艄 船尾 捎 說文自關而西凡取物之上者為撟捎 髾 髮末 鞘 博雅䩭謂之鞘鞘或从韋 弰 弓末 旓 旌旗旒 輎 兵車以鹿皮為飾 稍 稅也

綃 帆維 䘯 袙也褾也 稍 種也 娋𡢃 博雅娋孟婞也或从稍 箾筲 說文陳留謂飯帚曰箾一曰飯器容五升一曰

宋魏謂箸筩為箱或从肖 飍風聲 背說文惡艸皃 鮹海魚名形如鞭旒 蛸蠨蛸蟲名 劕象箾舞者所執司馬丞說 箾

葥萎木枝竦也 綃維舟謂之綃 散擊也 焇乾也 浚水盛皃 唆吞乾物也 ○ 譟初交切代人說也文十一 勦

說文勞也引春秋傳安用勦民以力 鈔 剿 抄 摷說文叉取也或作剿抄摷 ⿺走巢競走 訬說文訬擾也一曰訬獪一曰書也

⿺鬼堯疾皃楚俗謂鬼剽輕為害者 觘角匕 吵闕人名宋大夫吵 ○ ⿰耳巢 ⿰言巢莊交切⿰耳巢⿰言巢聲擾耳或从言文十七 罺

樔 ⿱竹爵撩罟也或作樔⿱竹爵 巢 ⿱竹巢爾雅大笙謂之巢或从竹 抓博雅搔也 ⿰火巢 ⿰犭巢燚也或从犬 窼鳥穴中也

摷擊也拘也 ⿰土巢地名在聊城 鄛鄉名在南陽 釗闕人名周康王釗 啾 ⿱啾心小兒聲或从愁 ○ 巢鉏交切說

文鳥在木上曰巢在穴曰窠一曰大笙又國名亦姓文二十 樔說文澤中守艸樓 轈 輠說文兵高車加巢以望敵也引春秋傳楚子登轈車

或省通作巢 ⿱山巢嶚巢山高皃 窲寥窲屋深皃 ⿱巢土巢陽地名在聊城 漅湖名 鄛說文南陽棗陽鄉 ⿰巢高高巢皃

⿱艹巢薻麥艸名 ⿰魚巢魚子 ⿰革巢 ⿰韋巢束也或从韋 ⿰足巢行捷也 ⿰巢力勞也 ⿺鬼巢博雅健也一曰剽輕為害鬼 訬博雅

獪也 ⿰石巢附國之民壘石為巢而居曰⿰石巢 ⿰女巢女字 ○ 啁陟交切說文啁嘐也文八 嘲 謿說文謔也或作謿通作啁 趙趙趫

大一二十八 小六、四十五 集韻平聲三 二十 春

跳躍 鵃鶻鵃鳥名似山鵲而小 鳭鳭鷯黃鳥 寥寥窲屋深皃 颵風皃 ○ ⿺風丑丑交切炎風謂之⿺風丑文六 ⿰牛卓角挑

也 嘮說文嘮呶讙也 趠超也 倃目不正也 灱熱也 ○ 顟力交切大首深目文十四 髎馬脅骨一曰髖也 窌

深空皃 寥室寥深遠皃 僇盛大皃 蹘走也一曰足相交 ⿰貝翏度語謂錢曰⿰貝翏 摎物相交也 巢國名 ⿰山卯山名

嫪嫪㜥犬亂吠 廫室中虛皃 澆水洄洑皃 謧多言也 ○ ⿰禾兆除交切禾稠曰⿰禾兆文一 ○ 鐃尼交切說文小鉦也

軍法卒長執鐃文二十一 呶 譊說文讙聲也引詩載號載呶或作譊 橈曲也 譊說文恚呼也一曰譊譊語也 怓說文亂也引詩

以謹惛怓 ⿺鬼堯見鬼驚詞 ⿸虍兒岑也 撓 ⿰扌匋抓也或从匋 匋 淘 ⿰石匋 ⿰石農匋沙礫石或作淘⿰石匋⿰石農 ⿰犭農犬名

獿說文獿獿也謂犬吠 鷯 ⿰尞隹鳭鷯黃鳥聲或从隹 繷博雅紛繷不善也 蕘蕪蕘菜名蕪菁也 颮熱風 ○ 巢

徂交切爾雅大笙謂之巢孫炎讀文一 ○ 虓于包切虎聲一曰國名一曰犬聲文二 倄刺也一曰痛諄

六 ○ 豪 豪 毫 豪乎刀切說文豕鬣如筆管者籀从豕或省文三十三 毫長銳毛 號 皐 号 唬說文

呼也或作皐号唬 諕 譹說文號也或作譹 告 勂休謁也漢書告歸之田或从力 嘷 獋 ⿰豸皐說文咆也譚長說嘷

从犬或从豸 濠水名在鍾離亦州名 壕城下池通作濠 𢯷較多少曰𢯷 鄗說文南陽淯陽鄉 嵪嶠山名在弘農或
作嶠 猇椃說文木也或省 䜒䜒䜒深谷皃 顥顥顥大面皃 𠢕健也彊也通作豪 呺颵風聲莊子萬竅怒呺
或从風 𦞦戾也 隞𨻰墼謂之隞一曰城下道或从豪 殽雜亂也 餚膳羞 ○蒿呼高切說文菣也文十四
䜒䜒䜒深也 撓擾也 薧薨說文死人里或不省 薅蓐茠拺鎒薅說文拔去田艸也籀作薅
或作茠𢱭鎒搞 𩮨髮皃 嵩山名 𧱲豕名 ○尻𡲰𩨗丘刀切說文脽也或从尾省亦作𩨗文八 訄戲言一曰迫也
栲朹木名或从尻 嵪嵪嶅山峻也 𩨗骨也 ○高居勞切說文崇也象臺觀高之形又姓亦州名文三十四 皋說文氣皋
白之進也禮祝曰皋登歌曰奏故皋奏皆从夲引周禮詔來鼓皋舞皋告之也一曰局也澤也俗作睪非是 䜒䜒䜒深皃 咎姓也通作皋 㤘
㤝局知也或从皋 䚖見也 鄡鄉名在范陽 嵲嵲嵲山名 羔說文羊子也 獋闕人名晉靈公夷獋 膏說文肥也
餻糕鎬博雅餈餻餌也或从米从高 櫜韟說文車上大櫜引詩載櫜弓矢或作韟 稿秆也 鼛說文大鼓也引
詩鼛鼓不勝 槗篙筶方言所以刺船謂之槗或省亦作筶 槔格木名一曰桔槔機器或作格 䓘艸名實似瓜

大百六七 小七百廾 集韻平聲三 二十 邦信

藁說文䓘屬白華 鷎雗鳥名方言鶡鴠韓魏謂之鷎一曰鳩也或从隹 麠牡麠 嶠起勁疾也 顥顥顥面大 告
白也 槁木名 𥟄禾名 ○爊衮於刀切煨也或作衮文七 鑣說文温器也一曰金器通作鏖 鏖㯁盡死殺人曰鏖糟漢
霍去病合短兵鏖皋蘭下或作㯁 藨菜名 懊懊憹痛聲 ○敖敖遨傲牛刀切說文出游也一曰傲也隸作敖或作遨
傲文四十二 翱說文翱翔也 𩯚鬏皃 𠢕說文健也 摮擊也 顤顤顥高也 飉風聲 暬日光 慠慠慠憂心
也亦書 嗷說文衆口愁也引詩哀鳴嗷嗷亦書作謷 謷說文不肖人也一曰哭不止悲聲謷謷 聱不聽也 嫯侮易也
作嗸 熬䵅𧑤說文乾煎也或从麥从萬 嶅山多小石或書作𡾰嶅 磝磝砯 澆說文水出南陽魯陽入城父 鏊釜屬
𦪈𣗳舟棹首謂之𦪈或从木 镺長皃 鼇海中大鼇 鰲魚名 䯠螯蹩蟹大足者或从虫从足 𢦽
𢧢戟鋒謂之𢦽或省 驁駿馬以壬申日死故乘馬忌此日一曰驁夏詩名 鷔不祥鳥也白身赤口似鴈所集國亡 獒說文犬如人心可使
者引春秋傳公嗾夫獒 蔜艸名爾雅蔜蕿蔞 囂讀也一曰地名古作貿 隞地名通作敖囂 𡾰山海經三危之山有獸焉
其狀牛身四角豪豪如被蓑名曰傲㹳是食人 璈樂器 ○褒褒裦襃博毛切說文衣博裾也一曰獎飾又姓或作褒裦襃文九

蒄吳王孫休名子報進也郒地名葆廣也蕔荒也○橐普刀切橐囊張大皃文七藨艸名䨦雪皃
颮輕風犥牛黃白色毻毬毛起皃一曰輕也或从巾○袍蒲褒切說文襺也引論語衣弊縕袍亦書作袌文六郇地名
詉詉譁亂語𧊥車軫一曰𡗜也㬥痛甚稱阿㬥嚛鳴也○毛毽耄謨袍切說文眉髮之屬及獸毛也又姓或
作毽耄文二十五髦說文髮也爾雅髦士官也𩬮𩭔說文髮至眉也引詩紞彼兩髦漢令有髮長或省犛𤛓犛牛
尾也或作犛氂旄說文幢也一曰獸名毷車翣以御風塵一曰馬長毛軞公車也通作旄芼艸也通作毛秏楙木名
冬桃也或作楙通作旄滶水名嵍堥𥓓務丘前高後下或从土亦作務通作旄酕酕醄極醉皃牦牛名
今所謂偏牛者顏師古說蝥蟷蜋也耗獨皃漢書靡有孑遺耗矣覒說文擇也○騷蘇遭切說文擾也一曰摩馬文三十九
搔𢯲說文括也或从蚤繅縿繰繅說文繹繭為絲或从參从喿从蚤臊膆說文豕膏臭也或从蚤
鱢說文鮏臭也引周禮膳膏鱢鰠山海經鳥鼠同穴之山有鰠魚其狀如鱣溞爾雅溞溞淅也𣗥艘褄說文船總名或
作艘樓鎟鎟鉎銅器颾颾風聲或从喿慅說文慅驕也蕿艸名慅懆說文動也一曰起也或作懆
慅愁也通作騷瘙疥也騷騷騷鬆皃𢕷𢕷徊緩行皃獿獸名鄋鄋鄵北方長狄國也在夏為防風氏
在商為汪芒氏或作鄋鄵搜叟搜搜動皃或省廋博雅求也溲便也國語少溲於豕牢哨方言㚣龐而西使犬曰哨摻
𣖶摻木長皃猣神異經西方深山有人長尺餘袒身捕蝦蟹以食名曰山猣𥇚日色篸篸篸竹聲○操撡倉刀切說文把
持也或从文文十二鄵鄭地名造進也懆絡頭也褿幒說文帴也或从巾譟聲也𩊄蓍色飾車既練所乘
者叄宣也莊子以參為驗懆愁也澡澡澡欲沸○糟𨡊蓸醩臧曹切說文酒滓也籀作𨡊或作蓸醩文十七
曹日出明慒慮也䐬脃也褿幧博雅褿帗帾也或从巾遭說文遇也一曰邐行燲焦也槽
𨔡果木華實相半也或从遭傮𠌐說文終也或从歨嶆嶆嶆山皃譖詉譖聲亂○𨐊曹財勞切說文獄之兩
曹也在廷東从棘治事者从曰徐鍇曰以言詞治獄也隸作曹又州名亦姓文二十四嘈廣雅嘈好也𡖿終也䏆脃也一曰腹鳴聙膠聙
耳鳴嘈廣雅嘈哢聲也禮祭也祐也一曰祭昊先䄚說文帴也一曰衣失浣槽說文畜獸之食器艚舟也漕衛邑
名嶆嶆嶆山皃髞髝髞高皃鏪剛折謂之鏪蓸說文艸也蠤螬蝤蟲名說文蠐螬也或省亦作蝤瞎

日晚 簹竹名 鏪穿也 僧㒞也 愁憂也揚雄有眸牢愁 ○刀釖都勞切說文兵也或从金文十二 魛魚名飲而
不食 忉忉忉憂勞也亦書作忍 裯說文衣袂袛裯方言汗襦自關而西或謂之袛裯 舠舸小船也或从周 朷木心曰朷一曰
木名 顙顙顛大面 惆方言惛江湘謂之惛惆 錭鈍也 啁嘐啁語多 ○饕飸叨餡飻他刀切說
文貪也一曰貪財為饕籀作飸或作叨餡飻文五十 慆說文說也一曰慢也一曰慆慆久也 謟爾雅疑也 詨往來言也一曰小兒語不正
㥘目不明曰㥘一曰目通白 㥘睃日色或从斐 滌縚說文扁緒也或从舀 幍巾帻也 韜韜說文劒衣
也一曰寬也或从韋 綢韜也一曰緩束 弢說文弓衣也 叟說文滑也引詩叟兮達兮一曰取也一曰伐鼓大首謂之叟 夲說文進趣
也从大十猶兼十人也 搯掏說文搯也引周書師乃搯搯者拔兵刃以習擊刺詩左旋右搯一曰抒也或作掏 挑挑能挑達
相見皃一曰往來皃或从彳从人 桃稻也 翢爾雅纛翳也今羽葆幢 瑫美玉一曰玉飾劒 籓飲牛器方言篆趙岱之間謂之籓
匋匧與說文古器也籀作匧或作與 舭船博雅舭舸舟也或从舀 洮說文水出隴西臨洮東北入河 滔說文
水漫漫大皃 梠木名爾雅梠山榎 牧說文牛徐行也 岹山名 鰌魚名 蜪蝠蛹蝗子 挑扰抒物之器或作扰

大八二十一　小七、五十四　集韻平聲三　二十三　見

騊說文馬行皃 耻耳鳴 蓧艸名 頫盟也 夲進也从小从大 媎女字 犢牛羊無子也 ○匋徒刀切說文瓦
器也古者昆吾作匋通作陶文五十七 陶說文再成丘也在濟陰引夏書東至于陶丘陶丘有堯城堯嘗所居故堯號陶唐氏 燾溥覆照也 洮
盥也一曰淅也 淘淘淘流也 濤說文大波也 颾颼風也或从騷 掏抒也擇也 逃跳說文亡也或作跳俗作逃非是
徇徭徇行皃 儔翳也 纛翢翿翳舞者所執幢或作翢翿翳 鞀鞉鼗磬鼓名說文鞀遼也鄭
康成讀鞀如鼓而小持柄搖之旁耳還自擊或作鞉鼗鞀籀作磬亦書作鼗 鞠鼓木也考工記韗人為皐鞠 酶酕酶醉皃 顙顙顛大面 謟
詜啕說文往來言也一曰小兒未能正言也一曰祝也或作詜啕 咷說文楚謂兒泣不止曰嗷咷 匋匋陰地名在齊 鞠
餡餌也或作餡通作餡 蔔說文艸名 桃說文果也又姓 檮檮說文斷木也引春秋傳檮杌或从壽 䉀䉀枝竹名通作桃
綯絞也詩宵爾索綯 裪裪襹袖襟也 錭鋾說文鈍也或作鋾一曰鋾鑄也 駒說文騊駼北野之良馬 駣馬四歲謂之駣
舭舟名 鵃鵃河鳥名通作淘 裪神也 蜪蝗子爾雅蝝蝮蜪 幬幔轂革 姚闕人名春秋傳周有穎叔姚子通作桃
滔聚也莊子滔乎前而不知所以然 慆慆慆久也 籌壽方言戴也或省 犒犢說文牛羊無子也隸作犢 瘦

疾也 聑耳病 䍣闕人姓春秋傳有羅莀 ○勞𤯝憥僗郎刀切說文劇也用力者勞古从悉或作僗文四十八 譾

嘮聲也尚書大傳嘮然作大唐之歌或从口 浶潦說文水出扶風鄠北入渭或作潦 牢窂臱說文閑養牛馬圈也从牛

从舟省取其四周帀也又姓或从宂古作臱 簩簩簩竹名皮利可爲刀一曰竹名一枝百葉有毒 䝁𧀧蹘蓩野豆謂之䝁豆

或作撈遼勞 醪說文汁滓酒也 撈沈取曰撈 峼㟹峼山皃 蟧蟲名小蟬也一曰螺屬 嘮嘮嘈大聲 髝髝髞高皃一曰

性麤急 𠡮𠡮𢾕物未精 憦苦心也一曰疲病 𨲠𨲠𨳀長皃 𦗷𦗷嘈耳鳴 𥧬𥧬碎深也 鋽鐒廣雅鋽鑪鐒也

一曰鐒鋽銅器或从勞 𥗽䃕磱石器或从牢从勞 𤩋玉名 嫪嫪嫽妬也 哰嘺哰謰謱言語不解也 栁木名

簝竹器所以受肉 膫腸脂 浶浶浪擾皃 嵺𡼏嵺嶆山險或作嶗 佻獨行皃詩佻佻公子沈重讀 轑撓也

漢書轑釜 撈取也 侔僗膠侔麤皃或从勞 鷯𪁣鷯鳥名錦文 癆朝鮮謂中毒曰癆 嘐嘐啁語多 ○夒

獿獶猱蝚奴刀切說文貪獸也一曰母猴似人从頁巳止夂其手足或从夒从憂从柔亦作蝚一曰擾塗墍者文十九 𤜧

獶獳說文犬惡毛也隸作獶或作獳通作狃 峱𡾏巎說文山在齊地引詩遭我于峱之間兮或从夒从農 𢤦懮

劣也或从夒 瓇玉也 𤬕戲也 臑羊豕臂也 詉喜也謎也 𨑫耕也 憹懊憹痛悔

七 ○歌謌䪭可居何切說文詠也或从言从咨古作可文二十一 哥說文聲也通作謌 柯說文斧柄也又

姓 㤢法也 戨戓牁博雅戨戓牁杙或省亦从爿通作柯 䓣荷菏說文菏澤水出山陽胡陵引禹貢浮于淮泗達

于菏或作荷菏 茄芙蕖莖 滒說文多汁也廣雅滒漕淖也 抲撝也 鴚鳥名說文鴚鵝也 娿媕也 䎋居結揀謂之合

歌 䓫䓫母艸名出嶺南 舸船名 ○珂砢丘何切石次玉或从石文五 𣧚死皃 髁膝骨也 軻車接軸亦

姓 ○訶虎何切說文大言而怒也文十二 丂說文反丂也徐鍇曰气已舒 呵㰤博雅呵呵啞啞笑也一曰氣出或从欠

𩑶傾頭也 岢止也 祠祭也 抲說文抲撝也引周書盡執抲 荷苛譏察也或作苛 𠹈開口聲 妸女字

○阿於河切說文大陵也一曰曲阜一曰比也一曰慢應亦姓文十二 娿說文陰娿也謂婬娿不決 疴痾說文病也引五行傳時即

有口疴或从阿 婀娿說文女字也或不省 䋍𦀚博雅䋍緺練也或省通作阿 娿說文女師也杜林說加教於女 𣗥

榱榱樹枝長弱皃 鈳錒鈳鏻釜屬或从阿 ○何寒歌切說文儋也徐鉉曰儋何即負何也亦姓文十一 河說文水出焞煌塞外

昰崙山發原注海荷說文荷芙蕖葉菏滆水名或作滆通作荷苛說文小艸也一日急也蚵蟲名博雅蚵蠪蜥蜴也
訶呵訶訶衆聲或从口魺魚名廣雅魺魠也呵唯呵問也通作何○莪牛河切說文蘿莪蒿屬文二十三䄉
衣盛飾哦唫也㧴槎也娥說文帝堯之女舜妻娥皇字也秦晉謂好曰娙娥皒皒皒白色䄉祭名峨峩說文
嵯峨也或作峩亦書作莪鵞䳘鳥名說文鴚鵝也或从隹俄說文行頃也引詩仄弁之俄䫊博雅衺也一日齊皃䖸蛾
說文蠶化飛蟲或从虫亦書作䖸又姓睋視也涐說文水出蜀汶江徼外東南入江誐說文嘉善也引詩誐以溢我硪說文石巖
也訛動也詩或寢或訛徐邈讀檥附船著岸騀博雅騀騀馬屬珴奉珪瑋皃
八○戈古禾切說文平頭戟也文二十六過說文度也亦姓濄渦說文水受淮陽扶溝浪蕩渠東入淮或省亦姓楇
紡車也輠車盛膏器通作楇斠鬲說文秦名土釜曰斠或作鬲鍋廣雅鍋錕釭也鐹鈛𩰫鍋鏞溫器或作
鈛𩰫𤵻瘑禿也一日創也春發為𤵻秋發為瘑𤵻或从咼緺綬文𪁟鳥名蝸不過蟲名螗蜋也通作過堝甘堝液金
器薖艸名蝸蝸牛蟲名𠹗過咳小兒相應聲𪃍鴰鳥名廣雅𪃍鷯工雀也或省茙艸名䣰酒之色

蜾蜾蠃桑蟲○科苦禾切說文程也从禾从斗斗者量也文二十一窠說文空也穴中曰窠樹上曰巢薖薖說文艸也又寬大皃
一日飢意或从竹𠋸美皃稞䄎青州謂麥曰稞或作䄎萪艸名海藻也一日藤類蝌蝌斗蟲名或書作𧊩䴹餜
䴹斗餌也象蟲形或从食犐牱料觟博雅郭犐牛屬一日牛無角也或作牱料觟課牽也䈖竹名𤵻瘑
首瘍或作瘑髁骨也𥦈空也通作科○倭烏禾切女王國名在東海中文十七𤢔猧小犬或作猧濄渦
水名爾雅濄為洵或省亦姓堝坳坑也𥨍穴居也踒足跌也𪁟鷙鳥食已吐其皮毛如丸萵萵苣菜名矮燕人
謂多曰矮婑婑皃涹濁也濕也楚人曰濕齊人曰涹亦山名覣視皃苣婆苣宜蓋草北狀別種名唩小兒啼捼手縈
也○和胡戈切說文相應也又州名亦姓古書作咊文十四龢說文調也一日小笙十三管也一日徒吹䄄秝博雅棺當謂之䄄或
从木通作和禾說文嘉穀也二月始生八月而熟得時之中故謂之禾禾木也木王而生金王而死从木从𠂹省𠂹象其穗鉌鉌鑾鈴也通作和
𠹗小兒相應也澕水深皃莯萪艸名或从和盉說文調味也通作和𣲕水名㗻嚾㗻泣皃姀女字
○吪𨇘僞吾禾切說文動也引詩尚寐無吪或作𨇘僞通作譌文十三譌訛說文譌言也引詩民之譌言或作訛通作吪

○𠯑 𧫩 佸 說文會也引詩曷其有佸 文十二 言 佸 說文會也引詩吾人其佸 一曰佸佸力也 又作𢓜

𢓜 小兒 栝 橜也 莽 說文木也 水 衆 𡿿 說文水流聲 林 木

行 和本 適 本 說文木本 杳 柘 桮 說文 榦 蘖 藝 蓋 鉢 說文 之 末

也 ○ 括 古活切 說文絜也 文十四 錎 說文 𨅝 𦧗 姡 說文 活

𦍞 𢶒 說文 佸 濶 活 說文 𨍐 𤁊 會也 林 木 栝

𣍄 木 頢 說文頭短 一曰頢 筈 活 越 𢔶 達 𩟹 會

作 首 諾 撮 說文 𦏻 蛞 𥏐 通 ○ 奪 說文 奪 𢔶 𩑔 𩞁 𢶍 活

𩓚 𩭔 𩓥 𨁂 枯 括 稓 𥫃 闊 說文 𨞭 𠳋 果 𥯮 栝 𨁂 𢶍 活

𦍞 說文 括 𢓜 𦁉 𦄃 箸 頢 𩞁 𩓚 𦂳 一曰 𩗬 𩓚 𢓜

三 說文 𩓚 𡾖 木 𥏐 𢓜 𧑦 鬠 帕 𩞁 𦂳 一曰 𩑔 𩓚 ○ 寞

𩞁 樂 說文 𧯽 𢓜 會 撥 說文 𩞁 𢶍 𩑔 枯

𨅝 𦧗 𩞁 撥 𦂳 說文 𩓚 𧑦 𩞁 𦁉 𦂳 𡾖 𩑔

適 括 𩞁 說文 𦂳 𢓜 𩞁 撥 𩓚 𩑔 栝

𩞁 𦂳 說文 撥 𦁉 𩓚 𩞁 𩑔 𩓚

八 ○ 𢓜 古本切 說文 𩞁 文二十六 撥 說文 𩑔

也 訛 說文 𦂳 𩞁 撥 𦁉 𩓚 𩞁 撥 𦂳

也 亦書作 撥 說文 撥 𩞁 撥 說文 𩓚

𩞁 亦書作 撥 𦂳 撥 𩓚 說文 撥 𦁉

說 撥 𢓜 𩞁 撥 撥 說文 𩞁 撥

詬 詞 說文 𩞁 撥 𦂳 ○ 撥 說文 撥

𩞁 𩓚 撥 括 說文 撥 苦 一曰 𩓚 撥 𦂳

鈋說文鈋圜也 圝 說文譯也率鳥者繫生鳥以來之名曰圝或从䌛 梔 厄 木節曰梔或省 魤 鮀 魚名或从

厄 蔿 艸名 ○波 逋禾切說文水涌流也文十六 皤 博雅白也 番 皤 番番勇也或从人 彼 蹇也 紴 說文絛屬

一曰錦類 陂 岥 博雅陂陀褢也一曰山陂或作岥 嶓 嶓冢山名 菠 菠薐菜名 碆 石也可為矢鏃 潘 潘於縣名在臨淮

磻 說文以石箸隿繳也通作碆 播 水名在豫州域 䪖 老皃 譒 敷也 ○頗 頤 詖 滂禾切說文頭偏也或从叵古

作詖文十四 坡 岥 岠 說文阪也或作岥岠 翍 飛皃 陁 陂 陂陀不平也或从皮 鉅 鉅鑼銅器 玻 玻瓈玉名

⿰氵頗 水皃 ⿰衤巨 衣皃 跛 關人名楚有蓬跛 ○般 婆 蒲波切說文奢也一曰女老稱或从波文十八 鄱 番 說文鄱陽

豫章縣或省 皤 額 說文老人白也引易賁如皤如或从頁 膰 大腹也 繁 緐 姓也亦省 陂 陂陁不平 搫

⿰扌緐 斂聚也除也或从繁 ⿱艹皤 白蒿也 蔢 蔢蔢莪皃一曰艸根 橎 木名 碆 石名 潘 潘於縣名 蟠 委也 ○摩

攠 眉波切說文研也或作擵文十八 磨 治石謂之磨 䃺 石磑也 劘 削也 麽 細小曰麽 魔 鬼也 嬤 女美稱

⿸麻皿 博雅柸也 ⿸麻食 ⿰食靡 食也一曰哺小兒或从靡 ⿸疒林 說文痛病也謂身支半枯或書作⿸麻肉 ⿰忄靡 心病 ⿰月麻 ⿰月靡 ⿰月麻痲痛病或从

靡 𪎭 散也 𡾰 山名 ⿰米靡 碎也精也 ○娑 桑何切說文舞也引詩市也婆娑文十八 抄 挲 摩抄也亦省或書作挲通作獻

沙 ⿰馬沙 ⿱沙馬 駝駊馬行皃或从沙 ⿱沙目 視之略也 髿 髿垂皃 傞 傻 說文醉舞皃引詩屢舞傞傞或从沙 些 戓也

⿰革沙 鞄鞄樂器 ⿱艹娑 蔢娑艸根一曰莪皃 桫 桫欏木名 鈔 鋖 鈔鑼銅器或从娑 犧 獻 戲 酒尊名飾以翡翠鄭

司農說或作獻戲 ○蹉 倉何切說文蹉跎失時也一曰跌也文十二 瑳 說文玉色鮮白 溠 水名 搓 搓挪也 䐤 大腹也

⿰骨差 治牙骨也通作磋 磋 博雅磨也 傞 舞不止也 齹 ⿱差齒 齒跌也或从差 差 淅也通作溠 嵯 嵾嵯山石皃 ○

醝 才何切白酒通作䣜文二十五 鹺 說文鹹也河內謂之鹺或書作䣜 𤳳 說文殘薉田也引詩天方薦𤳳 瘥 ⿰歹差 爾雅瘥病也或

从歺通作瘥 ⿰麥差 說文䴭麥也一曰擣也 ⿰日差 博雅乖暛昝也 嵯 ⿸厂差 說文山皃或作𡾊或書作𡸣 蒫 爾雅蒫薺實 䇛

笴屬 蔖 蔖蘆艸名可苴履 髿 鬖多也 䶪 齹 說文齒差跌皃引春秋傳鄭有子齹或从差 ⿰足虘 ⿰足贊 踏也或从贊

虘 說文虎不柔不信也 䣜 酇 說文沛國縣蕭何初封邑或从贊 ⿰月差 腹鳴也 ⿰差支 粟體 艖 ⿰舟贊 艑艖舟也或从贊

䨋 雨聲 ○衰 蓑 𦰋 蘇禾切說文艸雨衣秦謂之萆或从艸古作𦰋文二十二 莎 艸名說文鎬侯也 桫 木名 ⿰木莎

䈗梭 織具所以行緯也或作䈗梭 莏 挼莏手相切摩也通作莎沙 㛗 女字穆天子傳盛姬之喪叔㛗為主 瘥 疾也 髿

鬖髿髿美也 唆 㗂唆小兒相應聲 䞞 佞也動也 𢘇 𢘇題縣名在清河郡 趖 說文走意 魦鮻 魚名或作鮻 沙

亭名在元城 縗 編鷺羽為衣也 娑 女字 𩆯 小雨 ○ 遳 村戈切脆也文四 䇔 竹名 脞 叢脞細碎也 㛗 訬疾

也一曰叔㛗周穆王女字 ○ 侳 臧戈切安也文七 䘒朘屡 赤子陰也或从囟或从尸 挫 案也莊子挫鍼治繲 睉 目小

皃 㛗 少皃一曰女字 ○ 矬 徂禾切廣雅短也文九 痤 說文小腫也一曰族絫 銼 說文鍑也 睉 說文目小也 㛗

說文訬疾也一曰女字 棰桗 木名櫨李也一曰車下李或作桗 脞 叢脞細碎也 㟇 山名 ○ 多 㫊 當何切說文重也

从重夕夕者相繹也故為多重夕為多重曰為疊古作㫊或書作夕夕文九 茤㑨 姓也或从艸 夛 南夷名 姼 古言南楚謂婦妣曰母姼婦考曰父姼

鄲 漢侯國名一曰縣名在沛 蹛 蹛林匃奴地名 跢 攜幼行也 ○ 佗他 湯何切彼之稱或从也通作它文十

四 它蛇 說文虫也从虫而長象宛曲垂尾形上古草居患它故相問無它乎或从虫 詑訑 說文沇州謂欺曰詑或从也 飥

𥹛 餌也或从米 拕拖扡 說文曳也或作拕亦省 鼧 鼠名 痑 馬疲病 嘽 嘽嘽喘息也一曰嘽緩泣皃 ○

寬

駝駞 唐何切橐駝匃奴畜或从㐌通作它文五十三 佗 說文負何也一曰美也亦姓 馱 馬負物 𣝣 橐也一曰馬上連橐

驒 說文驒騱野馬也一曰青驪白鱗文如鼉魚 䶒 馬齒長也 牠㸱 獸名或作㸱 䩜䩛 說文馬尾駝也今之般緧或从

也 𨌯 車疾馳 䍌 𦍞䍌獸名如羊四耳而九尾 牠𧣲 牛無角者或从角 鼧 鼠名 㾃痷 病也或作痷

鮀䰳 魚名說文鮎也或作䰳 鴕䲊 鳥名似雉或从陀 鼉蟺鱓 說文水蟲似蜥易長大或作蟺鱓 䵹

獸名山海經驕山有神䵹狀如人面羊角虎爪出入有光 沱沲 說文江別流也出㟭山東別為沱一曰滂沱大雨或作沲 陀岮陁

博雅陂陀衺也或作岮陁 㼠 缶也 迱迤 逶迱行皃或作迆迤通作佗他 跎䟰 說文蹉跎也或作䟰 拕拖扡

引也或作拖扡 袉 裾也 詑訑 欺也或作訑 酡酏 飲而赭色著面或作酏 紽 絲數也詩素絲五紽通作它他 匜

與器 池 呼池水名通作沱 㐌 闕人名後魏桓帝猗㐌 柁 木葉落 汏 淅也 馳 走也 䩛 皮怗履 蛇 蟲名蠖也

○ 羅 良何切說文以絲罟鳥也古者芒氏初作羅一曰帛之美者亦姓文二十 𡾰 山名或書作巊 㑩 女字 蘿 說文莪 籮 方言

箕陳魏宋楚之間謂之籮一說江南謂筐底方上圜曰籮 儸 㑩儸健而不德也 𪌾饠 餅也或从食 㵩 水名在長沙羅縣 欏

博雅欏落籬也一曰檖木別名 囉 歌助聲 邏 遮也 鑼 鈔鑼銅器 羅 遭也 蘆 艸名爾雅莪蘆芭 襹 衣也宋玉敬孔婢著

青紋袾襹 攞 攎 揀也或作攎 剆 擊也 ⿰魚羅 魚名一身十首 ○ 那 郍 曩何切說文西夷國安定有朝那縣一曰何也一曰

安皃亦姓古作郍文二十 𡖄 廣雅𡖄綷多通作那 難 ⿱罒里 難卻凶惡也周禮方相氏率百隸而時難或作⿱罒里通作儺 梛 木名 儺 說文

行有節也引詩佩玉之儺 ⿺鬼難 說文見鬼驚詞 ⿱難山 ⿰山那 山名或作⿰山那 哪 哪哪儺人之聲 臡 ⿰月難 雜骨醬也或作⿰月難 ⿰牛冉

獸名似牛白尾 ⿰難能 山海經甘棗之山有獸狀如猷鼠而文題名曰⿰難能食之已癭 挪 搓挪也 橠 ⿰木難 橠橠枝弱或作⿰木難 ⿰足那 足跌

娜 女字 ○ 垜 ⿰阝朵 都戈切小堆或从自文七 ⿰衤朵 博雅䄩褑袖也 埵 鑄金具 ⿰山垂 小山皃 桗 株也 ⿰禾垂 博雅

積也 ○ 詑 訑 ⿰言他 土禾切欺也或从也俗从他文八 涶 說文河津也在西河西 誃 侈誕也 ⿰言隋 諳 方言慧也

楚謂之隋或省 隋 中高四下也 ○ 牠 ⿰角隋 徒禾切牛之無角者或作⿰角隋文十五 ⿰山咼 山形似碢者 碢 碾輪通作碢砣 橢

圜而長也一曰堶鼓器名 堶 磚 砣 㲉 ⿰亢乙 飛㲉戲也或作磚砣㲉⿰亢乙 踻 跛踻行踻皃 惰 美也 碡 圓皃

⿸尸婁 屬也 扡 搗也 ○ 蠃 盧戈切魚名有翼見則大水文三十三 ⿰亶几 獸名 蠃 驘 騾 說文驢父馬母或从蠃亦作騾

大一、三十一
小六、七十五

春

蘽 蔂 ⿰土累 盛土籠或作蔂⿰土累 絫 十黍為絫 蠃 ⿰木蠃 木名可為箭笴或作蠃 蠃 綾紋 蠃 須蠃鳥名鸊鷉也似

鳧而小 蠃 螺 蠡 蝸 蚌屬大者如斗出日南漲海中或作螺蠡蝸 蠃 稞 穀積也或作稞 ⿱艹蠃 菜名生水中

⿰金蠃 蠃 鏍 溫器說文銼⿰金蠃也或作蠃鏍 覼 說文好視也一曰覼縷委曲也俗从爾非是 嫋 順也 腡 手指文 緺

綬文 摞 博雅理也 儽 疲勞也 縲 大索也 ⿱累金 博雅金也 蠡 蕃夷聚落謂之瘰蠡 瘰 瘯瘰膚病 ○ 捼 挼

撋 奴禾切說文推也一曰兩手相切摩也或作挼撋文五 ⿺丸而 說文丸之孰也 ⿰田需 博雅土也一曰城下田 ○ 嗟 ⿰髟差 遭哥切易

大耋之嗟王肅讀古作⿰髟差文五 嵯 小疲也一曰未婚而夭 ⿰𠂤左 丘名 佐 傞佐足攢見 ○ 訏 于戈切拒譍也文一 ○ 韡

靴 鞾 𩌩 𩍖 呼肥切說文鞮屬或作靴鞾𩌩𩍖文十 扡 搗也 吪 吙 吐氣也或作吙 𥄮 目動也 譁 諠也

○ 𡰪 於靴切手足曲病文二 𠑊 恒𠑊癡皃 ○ ⿰骨它 丘靴切足病皃文一 ○ 𤸫 ⿰疒眉鞾切手足病文一 ○ ⿰肉䖞 驢鞾切驢腸胃

文一 ○ 伽 求迦切伽倍國名文三 茄 菜名子可食 枷 梛也 ○ 脞 醋伽切脆也文二 ⿰女坐 訬疾也 ○ 佉 去伽

切人姓一曰神名文五 呿 啓口謂之呿 ⿰亻亘 恒𠑊癡皃 㚗 女字 ⿰去欠 出气 ○ 迦 ⿺辶加 居伽切迦互令不得行也或从加文

三迦迦謎讖言

九○麻蔴謨加切說文與林同人所治在屋下亦姓或作蔴文十五痳風病䁢綫視皃䫶顛懡䫶顛

難語或作䫶懡𥂁博雅柸也䵹蟇䵹似龜生海邊沙中蟆蟲名說文蝦蟆也或書作蟇䴤鷄名磨山名靡牧靡縣名

在益州外靡蘗州所出䅿廣雅穄也犘牛名出巴中重千斤○葩苩披巴切說文華也或省文十五皅說文艸華之白也

帊殘帛妑女字䎱飛皃吧大口皃䰾髻皃鈀博雅鈀鉀鏑也𩈖面黃舥浮梁謂之舥蚆蠃屬

形中央廣兩頭銳𧣳牛角張芭閩人名漢有疾芭奅大也○巴邦加切說文蟲也或曰食象蛇又州名亦姓文十九蚆

蠃屬爾雅蚆博而頯豝說文牝豕也一曰二歲能相把拏也引詩一發五豝或从犬犯芭芭蕉艸名笆竹之有刺者一曰笮也

𧳜獸醜狀鈀說文兵車也一曰鐵也引司馬法晨夜內鈀車疤病𥬔笆節皅皰皅齭齙齭齒出也吧大口皃

𢼸斂也㸺牛角相背謂之㸺蚆螺屬兩首銳者筢竿也通作笆妑女名䩻兵車也𦙪腨屬○爬

把蒲巴切搔也又姓或从手文九杷說文收麥器一曰枇杷果名琶釋名琵琶胡中馬上所鼓推手曰琵却手曰琶因以為名跁

跁跒蹲也罷止也論語欲罷不能陸德明讀鮁魚名溠水名鴐鴐鵝鳥名○些𡭔思嗟切少也或作𡭔文四寫

䕭也樝木名○䜄嗟𨲆𦍃咨邪切說文咨也一曰痛惜也或作嗟古作𨲆𦍃亦書作謎文二十𡶩山名在東海

謯博雅謯詠也瘥𨁈病也亦从步通作嗟嫅怚驕也或作怚祖租屬縣名一曰好也畂殘田也溠

水名罝𦊰罝說文兔网也古从糸籀作罝蒩藨菜實苴菜蕿也一曰獵場菹澤有草曰菹孟子驅龍蛇而放之菹

丁公箸讀嫅女字○衺邪徐嗟切說文衺也謂不正或作邪通作斜亦書作衺文十六峫山皃斜說文杼也查查𡉝大皃

𦲭𦼃泉屬或作𦼃䕎茶荼䕎䕎茅穗亦作茶古作荼茶菜名苴苴咩城在雲南洫水名𨛩豬𨛩

獸名𨜏聲也𢛁心不直○奢奓詩車切說文張也籀作奓文十譇譇諏不解賒說文貰買也一曰遠也畬

火種也𨛦郐說文地名或从舍緒緒餘殘也徐邈說鍦方言南楚五湖之閒謂之鍦𩩫骨名○車𨏥

𠦫昌遮切說文輿輪之總名夏后時奚仲所造又姓籀作𨏥古作𠦫文九蛼蛼螯蟲名如蜆而大通作車莗莗前艸名硨博雅硨磲

石之次王者䡛牙車通作車𡵉山名哆大皃○遮庶之奢切說文遏也或省文九𤕓博雅父也僬僬儸

健而不德也諸姓闍城臺也詩出其闉闍徐邈讀嚥譕囉嚥多言或从言嫶女字○闍堵時遮切爾

雅闍謂之臺或从土文十七蛥佘姓也或作佘鉈[illegible]鍦說文短矛也或作[illegible]亦作鍦它蛇虵佗屬

或作蛇虵荼芀也爾雅蔈荂荼邪歸邪星名斜伊雅斜幻奴單于名虵山海經蛇山有獸如狐白尾名曰虵狼[illegible]水名

[illegible]兩刃臿詑淺意○若人奢切蜀地名文三惹博雅拏也婼婼羌戎國名○沙沚砂師加切說

文水散石也从水从少水少沙見楚東有沙水譚長說或从止亦从石沙又姓亦州名文二十一硰沙石地名在樓煩西鈔鈔鑼器也粆蔗飴

通作沙髿髿鬖鬆垂皃紗絹屬一曰紡纑通作沙裟[illegible]毛衣謂之袈裟或从毛[illegible]牛名[illegible][illegible]博雅[illegible][illegible]

[illegible]也或不省挱挓挱開皃桬桬棠木名魦鯊說文魚名出樂浪潘國或从沙莎莎雞蟲名紗廣雅小也[illegible]碎麥

[illegible]拘引也○叉初加切說文手指相錯也又象叉之形文十七杈說文枝也一曰杈把農器差[illegible]說文貳也一曰擇也

一曰差不相值也籒作[illegible]扠打也靫博雅靫鞴矢藏也[illegible]博雅艓謂之[illegible][illegible]頤旁也釵婦笄芆艸名[illegible][illegible]

磣垢也訍許也鎈錢名[illegible]脯腊[illegible]斮物也[illegible]艖博雅舟也或从差○樝楂莊加切說文果似棃

大一、三十二
小六、八十五

而酢或作楂通作柤文二十六柤說文木閑担[illegible]說文挹也一曰取物泥中古作[illegible][illegible]摣說文叉取也或从手[illegible]

齟說文齬齒也或从且皻齇[illegible][illegible]鼻上皰或从鼻从肉亦作[illegible]溠水名[illegible]棠木汁查查下地名亦姓

[illegible]紅稻也渣水名謯說文謯嫭也[illegible]說文水出北地直路西東入洛蔖蒩艸名楚葵也或作蒩戲指按謂之

戲[illegible]疵也[illegible]屋傾皃[illegible]滓也通作渣○髽莊華切說文喪結引禮女子髽衰弔則不髽魯臧武仲與邾戰于狐駘魯人迎

喪者髽文二檛馬杖○[illegible]槎查鉏加切邪斫木也漢書山不[illegible]櫱或作槎查文二十一祡燔燎祭天也柴小木

也[illegible]齟齒不正也或省苴[illegible]水中浮艸或作[illegible][illegible]屋傾皃[illegible]地名[illegible]行失序鉏鉏牙物傍出也

柤博雅隁也[illegible]開口見齒皃溠水名在北地痄痄疨病甚楂水中浮木一曰柴門[illegible][illegible]不齊[illegible]衣見裼

[illegible]女名○爹陟邪切廣雅父也文一○奓陟加切張也文二十四挓挓挱開皃觰[illegible][illegible]說文觰拏獸也

一曰下大者也或說角上張亦从奢从奓[illegible]譇說文譇詉羞窮也或作譇[illegible]開張屋也[illegible][illegible][illegible]博雅痕[illegible]也或作[illegible]

[illegible]說文厚脣皃[illegible]博雅[illegible]也[illegible][illegible]不密也藸藸茇亂艸[illegible][illegible]相黏也吒咤嗏噴也怒也

或作咤嗖 秅 數也二秅爲秅一曰麻屬 秺 縣名在濟陰通作秺 㤞 誕也 潳 潳濘沾溼也 肔 肔肔腹大今謂杖頭大者曰肔肔

○簻過檛 張瓜切說文箠也或作過檛文五 撾 擊也 𦢊 腿也 ○侘 抽加切侘傺失志皃文八 哆 張口也

𤵸 瘥皃 䏧 厚脣皃 謯誃 謯誃羞窮或从奓 詉 博雅拏也 侘 侘傺未定也 ○秅 直加切數也說文二秭爲

秅引周禮二百四十斤爲秉四秉曰筥十筥曰稯十稯曰秅四百秉爲一秅文十八 搽 擲也 厇 說文開張屋也濟陰有厇縣 梌 吳人謂刺木曰

捈 瘵 瘵也 塗涂 沮洳也一曰飾也或省 蹃 踷蹃不前 鄌 亭名在馮翊 隌垞 丘名或作垞 宊 宊窒

不正 𥧌 𥧌𥦫深皃 嵞 美也 荼㮷荼 著也一曰葭荼或从木亦省 斜 伊穉斜匈奴單于名 ○拏 女加

切說文牽引也或作拏文二十一 詉 譇詉羞窮一曰言不可解或作䛔 誽 博雅譇誽拏也 㧱 心亂 䓽 藸䓽艸名 膐

膐腬不寂也 䋈 𦃇䋈黏着 䋈 䋈索口絮 絮 說文敝衣 㛹 帊𢅅搽也一曰斂也 篬 籠也或作篬 秅 鳥秅西域

國 茹 關人名苴有大茹通作挐 㖀 說文言相說司也 摣 取也 㴙 屠拏沾溼也 𠻳 嘮呶讙也 抲 擸也 ○

邪耶 余遮切說文琅邪郡又曰疑辭或从耳俗从王爲琅琊非是文二十六 䣝䓸 木名皮可爲索或作䓸 鋣鎁

鎁 說文鏌鋣也或从邪从耶 斜 梁州谷名南口曰褒北口曰斜 峫 山名 擨歋揶 擨歈舉手相弄或省亦作揶通作邪

𦶬 艸名說文茅茀也 䔑 茅穗也一曰蓄積也 䓸䔑 泉屬皮中索亦从木 䈊節 竹名或从耶 涂 涂山名在

奴中 餘 緒餘殘也徐邈說 荼 荼陵縣名在長沙 枒梛椰 木名出交趾高數十丈葉在其末或从邪从耶 蛇 關中謂毒

蟲曰蛇 捈 抒也通作斜 ○遐徦 何加切爾雅遐遏遠也或从彳通作瑕文二十八 蝦 蟲名說文蝦蟆也一曰蝦蟲與水母游

鍜 說文錏鍜頸鎧也 霞 雲曰氣相薄通作蝦赮 赮 赤色 瑕 說文玉小赤也一曰過也亦姓 騢 說文馬赤白雜毛謂色似鰕魚

鰕 魚名說文魵也 假 巳也 犌 牛有力者 跟 說文足所履也 頢慇 頫顛言不正也一曰頫顛難制或从心 碬 說文

厲石也引春秋傳鄭公孫碬字子石 鞎鞎緞 說文履也一曰履根後帖或从革从糸 遐葭 爾雅芙蕖其葉蕸或省 [illegible]

說文豕也从彑下象其足 睱 目白皃 瘕 說文女病也 椵 因械也 叚 姓也春秋傳晉有叚嘉通作瑕 㥦 憠也 [illegible]

咽病 㗇 咽也 ○煆 虛加切火氣文十九 谺岈䦆閜閕 谽谺谷中大空皃或从山亦作䦆閜閕

蝦 蟲名 騢 身傴皃 呀 說文張口皃 颬 風吹謂之颬 瘕痮 喉病或从牙 鰕 魚名 歇 博雅息也

訝廣雅訝訝笑也 呀咽也太玄爲呀啞宋惟幹讀 閜門開也 㤉㤉㤉無志 ○齖丘加切字林大齧也文十 跒跒跒

蹲也 忦恪恐忦伏態或从客 抲搭扴扴也或作搭扴 㚝㚝㚝女媧也 欨出氣也 加膠加戾也王逸

說 ○嘉佳居牙切說文美也或作佳亦姓文四十六 加說文語相增加也 家豭家說文居也爾雅牖戶之間謂之

扆其內謂之家古作豭家 珈說文婦人首飾引詩副笄六珈通作笳 毠毠袈毛衣謂之毠袈或作袈裟 傢蠻夷人稅布 跏

屈足坐也 痂㿦說文疥也或作瘸 瘕病也 枷耞說文拂也淮南謂之柍或作耞 迦迦說文迦互令不得行也或

省 笳胡人卷蘆葉吹之也 葭芙蕖莖也通作葭 葭說文葦之未秀者 茄說文芙蕖莖一曰地名 豭猳說文牡豕

也或从犬 貑獸如熊黃白文關西呼曰貑羆 犌爾雅牛絕有力欣犌 麚麚說文牡鹿以夏至解角或作麚 犌獿也 鴐

鴐鵞鳥名廣雅鴐鵞鴚也或作鴚鵞亦書作䳘 謌証也 架米也 蜜米中黑蟲 椵因械也通作枷 駕闕人名左氏傳

有䍡䍡䍡支穀名 砎石名 蘢草名 泇水名 瘕病 蝦蟲名蟆蟆蛙類 稼禾也 瑕垂瑕地名 ○

雅鴉鵶於加切說文楚烏也一名鸒一名卑居秦謂之雅或作鵶鴉文十八 烏烏秅西域國名去長安九千九百五十里 錏

鐚說文錏鍜頸鎧也或作鐚 亞伊優亞者辭未定東方朔說 窫窫窊不正 啞啞岐道 椏方言江東謂樹岐爲杈椏 亞氣逆

丫物之岐頭者 碅土不平謂之碅一曰石名 到博雅刎也一曰到也 㞦㞦孲赤子 啞啞嘔小兒學言 俹傲也 婭

婭姹態也 ○牙㸦牛加切說文牡齒也象上下相錯之形古作㸦牙一曰旗名文十九 齖齖齵齒不正 芽說文萌芽 㤉恐㤉

伏態 枒說文木也一曰車輞會亦通作牙 䄰䄰䄰也 㧎㧎技㧎不正 吾允吾縣名在金城郡 郚縣名在馮翊 衙彭衙地名

一曰古者軍行有牙尊者所在後人因以所治爲衙又姓 犽獸名似貛而長 犽吳人謂赤子曰孲犽 雅人名尚書有君雅通作牙 痾

痄痾病甚 笌筍也 罞兔罔 庌庌庌不齊 涯涘也 ○華蕚胡瓜切說文榮也古作蕚文二十三 崋山名通作

華 驊騮駿馬名或作騮 譁嘩讙也或从口 鷨鵻山雉名或从隹 蟅大蛇名善吠小蛇 茉鋘

鋘鏵說文兩刃臿也从木丫象形宋魏曰茉或作鋘鋘鏵 划找舟進竿謂之划或从手 侉怯也痛也 樺木名 檴

禾盛也 慅心侈也 撝寬也 䵷蟲名蝦蟇也 燊熾也 ○譁呼瓜切說文讙也文十一 華花藭爾雅

華荂也或从七化亦作藭 七變也 蛙蟲名蝦蟇也 謣譍也 蔿博雅譌也 扎撝也 㕦夸誕也 吪口開 ○

誇夸 枯瓜切說文譀也古作夸通作夸文十八 侉 說文備詞也 夸奆 說文奢也或作奆 荂 榮也 姱 奢皃一曰

好也 骻 骻骫體柔通作夸 鯵 魚名 胯 股間 㑌 心自大也 跨 吴人謂大坐曰跨 磅 磐石 髃 骫髃髂上骨

晇 闕人名鄭妻叔術子晇 ⿰亻瓜 ⿱艹⿰亻瓜 ⿰亻瓜邪離絶之皃或作⿱艹⿰亻瓜 婐 女侍也 ○瓜 姑華切說文𤓰也俗作苽非是文二十三 抓

引也擊也 ⿰足瓜踻 足理文 腡 手指文 瘑 病也 婐 女侍也 歄 弱皃 媧 古之神聖女亦姓 緺 綬青

紫色文 騧⿰馬⿱咼⿻丨口駈 說文黃馬黑喙籀从⿱咼⿻丨口或作駈 蝸 蟲名說文蝸蠃也 渦 水名在淮陽 㼙 女名 ⿰咼頁 短頭也

抓 捘也 ⿰目咼⿰目瓜 目也或作⿰目瓜 ⿰瓜刂 割也 胍 胍肞腹大 ⿰亻瓜 ⿰亻瓜邪離絶皃 ○窊⿱穴⿰瓜瓜⿰氵窊 烏瓜切說文汚

衺下也亦作⿱穴⿰瓜瓜或从水文十八 夼 說文夼大也 窐 說文甑空也 ⿰目瓜 ⿰目瓜留地名在絳 洼涇 說文深池也一曰曲也或从巠

窪 說文清水也一曰窊也 鼃蛙 蟲名說文蝦蟇也或从虫 汙 鑿地也禮有汙尊 搲 手捉物 哇 淫樂 ⿱雨洼 蹄涔

也 抓 博雅引也 呱 兒啼 ⿰月窊 ⿰月窊臚臚腹下肉 ○⿰⿰亻瓜欠⿰瓜欠 吾瓜切歄⿰⿰亻瓜欠弱皃或从瓜文六 ⿰骨危 ⿰骨危髃髂上骨 譁

譌 方言化也或作譌 姽 婢也一曰身弱皃 ○苛 黑嗟切辨察也鄭康成曰苛其出入文一 ○哶 彌嗟切苴哶城名在雲南文一

○捼 儒邪切揉也關中語文一 ○挫 祖加切折也周禮凡揉牙內不挫李軌說文一 ○⿰石虘 七邪切石也文一 ○查 才邪切大

口皃文一 ○儸 利遮切儸僋健而不德文三 囉 囉嗹多言 ⿰月羅 臚腹下肉

十 ○陽陽 余章切說文高明也又姓古作陽文五十六 昜 說文開也一曰飛揚一曰長也一曰彊者衆皃 暘湯 說文

日出也引書暘谷或作湯通作陽 崵 說文崵山在遼西一曰嵎銕崵谷也一曰首崵山在洛陽 煬烊 爍金也或作烊 揚敭 說文

飛舉也又州名古作敭 徉 廣雅彷徉徙倚也 佯 弱也 詳 詐也通作佯 諹 譽也讙也 愓 方言婸愓游也 羘 多也

⿰羊彡 美善也通作洋 洋 洋洋盛大也 眻暘 眉間曰眻一曰目美也或作暘通作揚 鐊鍚 說文馬頭飾也引詩鉤膺鏤鍚

一曰鍱車輪鐵或作鍚通作輰 瘍痒瘍傷 說文頭創也一曰創癰也或作痒瘍傷 颺 說文風所飛揚也 瑒 玉名

輰 博雅輰輰柳車也 楊 說文木也又姓 样 方言槌齊謂之样 ⿰木盈 杯也 ⿱艹昜 艸名 ⿱艹羊 ⿱艹羊菓藥艸 鴹 鷞鴹鳥名舞則

將雨通作羊 鸉鴹 鳥名爾雅楊鳥白鷢似鷹尾上白或作鴹 羊 說文祥也从𦍌象頭角足尾之形孔子曰牛羊之字以形舉也 蛘 蟲名

垟 壝垟土𡑞 騴 馬名 鰑 鰑魚名鱺也 禓 說文道上祭 將 雉名周禮伯用將劉昌宗讀 霷 十月爲霷通作陽 ⿱𥫗昜

[illegible]

[illegible]

博雅犻篣符篖也鞤馬鞙𦳝艸名篣竹名弸弓曲戜戈也劥勸也眻𥇮明也或从祥煬炙燥
婸女字○芳敷方切說文香艸也又姓文七妨彷㤃說文害也或作彷㤃滂汸山海經箕尾之山滂水出焉或
从方雱霶雱雪皃○方汸放舫分房切說文併船也象兩舟或从水亦作放舫方一曰矩也道也類也且也亦姓文二十四
鼤地鼠坊埅說文邑里之名或从防邡說文什邡廣漢縣肪說文肥也趽曲脛也鈁說文方鍾也博雅鍪
謂之鈁一曰鑊屬祊周禮祭四方之名枋說文木可作車一說蜀人以木偃魚曰枋秎禾名牥牛名日行三百里能行流沙中
鴋鵻鳥名說文魴澤虞也字林鶝鴋人面鳥身或从隹蚄蚄蚄蟲名食苗者防比也通作方匚𠤬𠥓說文
受物之器古作𠤬籒作𠥓閍巷門笂竹器○房符方切說文室在旁也又姓古書作防文十三防埅坊說文隄也或作
埅坊又地名汸水名仿彷仿佯徙倚或从彳通作方方方與縣名在山陽郡鴋鵻鳥名澤虞也或从隹魴
鰟說文赤尾魚或从旁肪脂也○亡兦武方切說文逃也一曰無也或作兦文二十一妄無也禮妄常以儒相詬病忘
說文不識也𦣠朢也忘也望在外望其還也朢𡈼月滿與日相朢也或省邙洛陽北山名一曰縣名在沛𡶒山名

杗說文棟也引爾雅杗廇謂之梁芒說文艸耑秏䅒稻稃也或从芒莣艸名說文杜榮也似茅可為繩一曰莣蒉蔓也䜃
責望也硭硭硝藥石山石中採之布於芒上沃以水以盆覆之經宿飛著盆故曰硭硝其布於木皮曰朴硝通作芒鋩刃端罔汪罔氏長狄之
君䢅郡名一曰鄉名在藍田汒谷名在盩厔○襄䙴𡽒思將切說文漢令云解衣耕謂之襄一曰除也上也駕也成也
篆作𡽒古作𠆹文二十二緗淺黃色纕佩帶一曰馬腹帶瓖玉名一曰馬帶玦驤說文馬之低仰也一曰馬後右足白儴
爾雅因也𢓶儴徉逍遥也一曰行皃相說文省視也引易地可觀者莫可觀於木引詩相鼠有皮𢫦及也欀木名出交趾皮中有物如
米屑之可食廂廡也箱說文大車牝服一曰竹器蘘葙青蘘藥艸或从相瀼水皃通作蘘湘說文水出零陵陽海
山北入江鑲兵器𣀔殺也蠰蟷蠰蟲名蛣蜋也倡狂也太玄物咸倡倡宋衷讀○瑲鏘鎗創千羊
切說文玉聲也引詩鞗革有瑲一曰樂聲或作鏘鎗創文二十五將請也槍𥎳說文距也一曰剡木傷盜曰槍或从矛蹌𨇈
說文動也一曰舞皃古作𨇈𨆡說文行皃引詩管磬蹡蹡或書作蹡謒語輕也斨說文方銎斧也引詩又缺我斨牄鶬說文
鳥獸來食聲也引虞書鳥獸牄牄或从鳥嶈山高皃戕戧傷也亦从倉搶集也突也莊子搶榆枋嗆鳥食也一曰愚皃

篬箐竹名或作箐 齺小齒 頯頯也 鶬鳥名 閶門聲 ○將資良切有漸之詞一曰且也大也領也送也文十三
將𢪇說文扶也或作𢪇通作將 槳柯也或書作槳 漿漿漿說文酢漿也古作漿或作漿 蔣艸名說文菰蔣也
螿蟬屬 鱂鱶鱂魚名 蔣席也 牂牂戕牁也 摯亭名 ○詳徐羊切說文審議也文十七 祥說文福也一曰善也
佯弱也 蛘女鬼一曰蛾也 庠說文禮官養老夏曰校殷曰庠周曰序 痒說文瘍也 翔鴹說文回飛也或从鳥 [illegible]
趨行也通作翔 [illegible]山名 洋說文水出齊臨朐高山東北入鉅定一曰洋洋水盛皃 祥萊名 𦍋多也 禓道上祭 样槌也
嬙女字 [illegible]明也 ○牆牆牆墻慈良切說文垣蔽也籒作牆牆或作墻文十六 廧廧咎如赤狄別種或
省 檣艢牂帆柱也或作艢牂 戕說文槍也春秋傳自外曰戕 嶈說文山峻也 嬙婦官 蘠
蘠艸名說文蘠蘼虋冬也或省 佯弱也 奘妄強犬也 ○商商商商商商尸羊切說
文从外知内也一曰刻也一曰契所封地名亦姓一曰徵音之所生古作商商商商籒作商文四十三 賁說文行賈也通作商 觴觴觴
說文觶實曰觴虛曰觶或从西籒作觴 傷說文創也 慯瘍也憂也通作傷 殤說文不成人也年十九至十六死為上殤十五至十二死為中

殤十一至八歲死為下殤 鍚說文傷也 禓禓強鬼也一曰祭名或作禓 塲場暘蝪方言蚍蜉犁鼠之塲謂之坻塲
一曰淨壤或作場暘蝪 湯湯湯湯水流皃或作湯 鬺鬺鬺鬺說文煑也或作鬺鬺鬺 黥黑也 饟
餉鐊饟饁也或作餉鐊饟 瘍瘍憂疾或从商 蔏艸名蔏蔞蒿也一曰蔏陸馬尾 鷸鷸鵜鳥名一曰鷸鷠黄
螪蟲名爾雅蟒螪何一曰蜥蜴類 惕惕惕行直疾皃 煬謚也魯有煬公徐邈說 蠰蟲名爾雅蠰齧桑似天牛 踼躍踼驚動皃
汸水名 滴水名 ○昌昌蚩良切說文美言也一曰日光也引詩東方昌矣又州名亦姓籒作昌文十六 倡娼樂也或从
女 閶閶說文天門也楚人名門曰閶闔或作閶 琩琩玩璗夷充耳 裮帽博雅披裮不帶也或从巾 猖猖狂
菖菖蒲艸名菘也通作昌 鯧鯧鯸魚名 鶬廣鶬鳳皇屬 稆穮也 淐水名 蜎小鼁 ○章諸良切說文樂竟為
一章从音从十十數之終也一曰采也亦姓文二十二 障日光上進皃 彰說文文彰也 嫜傽夫之兄曰兄嫜或从人 違
週違透也 傽傽惶行不正 慞懼也 璋說文剡上為圭半圭為璋引禮六幣圭以馬璋以皮璧以帛琮以錦琥以繡璜以黼 墇
障瘴壅也或作障瘴通作鄣 鄣說文紀邑也 韓馬鞴 漳水名說文濁漳出上黨長子鹿谷山東入清漳清漳出沾山大要谷

北入河南漳出南郡臨沮 章 說文艸也 樟 豫樟木名 麞獐 說文麋屬或从犬 鷾 鷾渠水雞也 商 度也尚書我商賚女
徐邈讀 蔏 蔏藋艸名 ○常裳 辰羊切說文下帬也或从衣常一曰天子旗名一曰久也又州名亦姓文十六 嘗甞嚐
說文口之味也一曰試也一曰秋祭名亦姓或作甞嚐 尚 主也漢官也書主大計 徜 博雅徜徉戲蕩也 償 說文還也 鋿鏛
磨也一曰車輪繞鐵或从常 鱨 魚名說文揚也 鶶䳁 鶶鶶鳥名或从隹 㦂 人行五常也通作常 瑺 玉名 𦱅 艸名 ○
穰 如陽切說文黍䅩已治者一曰豐也又姓文二十七 禳 說文磔禳祀除癘殃也古者燧人縈子所造 儴 因也 鬤𣯱 鬡鬤髮或
从毛 攘𣪠襄 說文推也古作𣪠襄 孃 煩擾也一曰肥大 懹 恇懹怯遽也 鑲 說文作型中腸也一曰兵器 纕
說文援臂也 瓤 瓤瓤瓜中 𨞰 說文今南陽穰縣是 瀼𩅴 瀼瀼露也或作囊 䖆 博雅䖆醢菹也 蘘 艸名說文蘘荷也一
名蒿葅 𥳭 說文褱也一曰漉米竹器 獽 獸名㺜屬也 䕅 艸名可作縻綆 蠰 蟲名說文螳蠰也 䑋 秦晉謂肥曰䑋 壤
土也 驤 馬右足白 躟 距躟行遽也 勷 劻勷遽皃 ○霜 師莊切說文喪也成物者文十一 孀 嫠也 驦騻 驌驦
良馬名或从爽通作爽 鷞鸘 說文鷫鷞也西方神鳥或从霜 蠰 蟲名爾雅蠰齧桑長角體有白點 緗 淺黃也 湘 水名在零

陵 爽 差也明也 騻 騯騻馬淺黃色 ○刅創刱㓐戧 初良切說文傷也从刃从一或作創刱㓐古作戧
文十 瘡 痏也 滄 寒也 瑲 玉聲 愴 悲也 ○莊𧂐 側羊切恭也爾雅六達之道謂之莊亦姓古作𧂐俗作庄非是文十
妝娤粧𥾝 說文飾也或作娤𥾝粧 裝 說文裹也 奘 妄強犬也 梉 木名似豫章其小似桃故生七年乃知 檻
揚州謂柸為檻 ○牀床 仕莊切說文安身之坐者或作床文六 𩅿漴 𩅿𩅿急雨或作漴 𤖉 說文扶也 疒 說文病也 ○
張 中良切說文施弓弦也一曰開也亦姓文七 䛫 譸䛫誑也通作張 𥈷 目大也 餦 餦餭餳也一曰餅也通作粻 粻 糧也
漲 水大皃 倀 狂也 ○萇 抽良切說文艸枝枝相植葉葉相當文四 倀 說文狂也一曰仆也一曰倀倀無見皃 瞠 直視皃
𪔵 鼓聲 ○長镸兂兲 仲良切說文久遠也古作镸兂兲文十八 𨁈 方言北燕之郊謂跪曰𨁈 腸膓 說文
大小腸也或作膓 場塲暘 說文祭神道也一曰田不耕一曰治穀田也或作塲暘 瓺 方言朝鮮洌水之間謂罃為瓺 鸉 鷊鸉
菜也 萇 艸名說文萇楚銚弋一曰羊桃又姓 蟑 蟲名博雅蟑蠰蛐蟺也 倀 狂也 粻 糧也 薚 遂薚艸名一曰馬尾 悵 恨也
○𡆗良目㫰𢀚 呂張切說文善也一曰甚也亦姓隸作良古作目㫰𢀚文三十五 筤 博雅筤謂之笭 量

[illegible]

[illegible]

量 說文稱輕重也古作量 糧粮 說文穀也或作粮 粱粱 說文米名或从禾 梁渠 說文水橋也一曰梁棟古作渠梁又國名亦姓 涼 說文薄也亦州名 凉 薄寒曰凉 颹颹 說文北風謂之颹或从良 㾗 說文事有不善言㾗也引爾雅㾗薄也 ⿰貝京 賦斂也 綡 纓也 ⿰酉京 博雅漿也通作涼 ⿰足梁 跳踉走也 踉 跟蹡欲行也 惊 悲也 椋 木名說文即來也 ⿰牛京 說文牻牛也引春秋傳牻⿰牛京 駺 山海經大封國有文馬縞身朱鬣名曰吉駺 蜋 蟲名爾雅蛣蜣蜋 輬 說文臥車也故遂為喪車合二名而呼之也 亮諒 信也或作諒 稂 童粱也 俍 良工也 ⿰骨良 股內謂之⿰骨良 ○ 孃 尼良切說文煩擾也一曰肥大也文四 瓤 瓜實 鑲 兵器 娘 女字 ○ ⿱黍甘香薌 虛良切說文芳也一曰穀气也引春秋傳黍稷馨香或省亦作薌文十 皀 穀之馨也象嘉穀在裹中之形 鄉 說文國離邑民所封鄉也嗇夫別治封圻之內六鄉六卿治之又姓 膷 牛之羹者 麘 麢麘獸名 啍 愚兒 饗享 享也或作享 ○ 羌羗𡵚 墟羊切說文西戎牧羊人也从人南方蠻閩从虫北方狄从犬東方貉从豸西方羌从羊此六種也西南僰人僬僥从人蓋在坤地頗有順理之性唯東夷从大大人也夷俗仁仁者壽有君子不死之國夾从犬又姓古作𢀗文七 蜣 蜣蜋蟲名或作⿰虫卬 慶 亂也通作羌 ⿰氵羌 水名 ○ 疆薑 居良切說文禦溼之菜或省文二十二 畕 說文比田也從二田 畺疆畺壃彊 說文界也從畕三其界畫也或作疆畺壃彊 姜 說文神農居姜水以為姓 倞 強也 僵 說文僨也 ⿰冫畺 凍凝 殭 死不朽 礓 礫也 橿 說文枋也一曰鉏柄 ⿰牛畺⿰牛姜 說文牛長脊也或从姜 繮韁 說文馬紲也或从革 ⿰虫畺 蠶白死 ⿱艹姜 山艸 猄 猄猄鵲行兒通作僵 ○ 彊弜 渠良切說文弓有力也或作弜一曰勝也亦姓文十二 強彊⿰虫畺 蟲名說文蚚也籀作彊蝨 勥⿱彊力 說文迫也古作彊力 ⿰魚畺鯨 大魚也或作鯨 ⿱艹強 蘠蘼艸名百合也 ⿰扌畺 扶持兒 漒 水名在河南 ⿰女強 女字或書作嬙 ○ 央 於良切說文中央也一曰久也文二十 殃袂⿰示央 說文咎也或从示古作殃 鞅 馬頸革 ⿱央龜⿱央黽 龜屬或从黽 ⿰魚央 魚名 鴦 說文鴛鴦也 咉 唐咉聲 鉠 鈴聲謂之鉠 泱 說文滃也謂雲氣起兒一曰泱泱水深廣也 秧 說文禾若秧穰也一曰蒔謂之秧 霙 雲兒 佒 身傴謂之佒一曰樂也 胦 脖胦臍也 怏 怏然自大之意 ⿰犭央 獸名狢也 紻 纓謂之紻 英 稻初生未移者 ○ 王 雨方切說文天下所歸往也董仲舒曰古之造文者三畫而連其中謂之王三者天地人也而參通之者王也孔子曰一貫三為王又姓文十 蚟 蟲名方言促織南楚謂之蚟蟋 魟 魚名鮪也 迋 行遽兒 騜 馬黃白色 ⿱羽王 翿也舞者執以祀星 徃 之也 惶 恐也 餭 餦餭餳也 徨 彷徨往來 ○ 匡筐匩 曲王切說文飲

器筐也或从竹亦省匡一曰正也又地名亦姓文二十四 迋妄也 郠郠說文河東聞喜鄉隸省 蛀大蝦 涯涯說文水出桂陽縣盧聚山洭浦關爲桂水隸省 恇恇說文怯也隸省 劻 𢓜劻勷遽也或作𢓜 髭髭鬤髮亂 茥方言隨也一曰艸名

軭車戾謂之軭 眶頣目匡或从頁 框牀門謂之框 軖繅輪也 閶門周木也 脭腔也 𨃣 趡距躟行遽或从走 ○𤞣 狂 㤮渠王切說文狾犬也一曰躁也隸作狂古作㤮或書作𤠿文十七 梐汲具 洭水皃 軭說文方車也一曰一輪車 軭 軖說文車戾也或省 鯕大魚或書作鰪 𩿨 䳨鳥名鷃鸀五色有冠者或从隹通作狂 㞷

呈艸木妄生古作呈 迋妄也應劭讀漢書迋吾兄也 俇俇儴惶遽也 抂抂攘亂皃 框柩也 ○㤮俱王切狂也文一 ○卬魚殃切卬卬君德也文一

十一 ○唐 啺 䭚 𪁓徒郎切說文大言也又國名亦姓古作啺䭚文六十六 餹 糖 糛 餳方言餳謂之餹或作糖糛餳 搪方言張也 傏挨也通作唐塘 踼說文跌踼也一曰搶也 逿過也 堂 坐 臺說文殿也古作坐籀从高省 䧜殿基謂之䧜 鄌 鄌說文地名或省 塘偃瀦也通作隚 磄磄礣石 溏溏淖也一曰池也

瘄旁瘄凍相箸皃 煻熱灰謂之煻煨 闛說文闛闛盛皃 闣 閬高門謂之闣或从良 鎕說文鎕銻火齊 瑭博雅瑭瑊玉也 餹小餅有耳者曰餹餹 蓎艸名爾雅蓎蒙女蘿 簹箬簹竹席直文而粗者 棠木名說文牡曰棠牝曰杜或書作榶 榶木名 樘棖也通作唐 摚博雅距也 篁篁也 鞺 輎兵車也或从堂亦省 橖車木 糖赤色 鶶 鶶鳥名爾雅鶶鶶似烏蒼白色或从隹 騙馬色 𣯊博雅毾𣯊也 犆牛名或从堂 鼞鼞鼷鼠屬一曰易腸鼠謂一月三易腸 鱅魚名博雅鮀鱅魭也 螗蜩螗蟲名 螳螳蜋蟲名通作螗 蝪蟲名爾雅王蚨蝪形似鼅鼄 隚爾雅廟中路謂之隚通作唐

塘蘼蕪一名蘼塘 惕方言佚惕緩也 嵣岞嵣山名 禟祐也 鄌國名 糖精米 溏溪也 膅肥也 颹風皃 豬豕名 糖蜀人謂黍曰糖䅯 碭石之有文者一曰山名 嫦 嫎女字亦从堂 ○當都郎切說文田相值也文十八 儅伻儅不當也 襠裲襠衣名 璫充耳也 鐺說文銀鐺也 簹篔簹竹名 檔木名 讜忠言 轋車轋通作檔 穡稂穡禾皃 艡艇艡舟也 𤬪瓝瓞瓜中也 蓎艸名 蟷蟲名說文蟷蠰不過也或書作蟷 聸 膽耳下垂謂之聸或从肉 澢水也 甑甂屬一曰甌題謂之甑溝 ○湯他郎切說文熱水也又姓文二十三 蕩 盪水名東至內黃澤西山或

[illegible]

十一〇[illegible]

〇[illegible]

[illegible]說文[illegible]

[illegible]一曰[illegible]

从竹通作湯 膛肥皃 鏜鐺說文鍾鼓之聲引詩擊鼓其鏜一曰鐵貫物謂之鏜或从當 鼞闛䵧閶闣
鞺說文鼓聲也引詩擊鼓其鼞或作闛䵧閶闣鞺 瞠矘直視也或从棠 搪揬也 趟走皃 踼蹚跌踼行不正皃或从
堂 盪滌器也 螳王蛈螳蟲名 薚蕩艸名爾雅蓫薚馬尾一曰蔏陸或省 倘止皃莊子倘然止 ○郎盧當切說
文魯亭也一曰官名亦姓文三十八 廊博雅廊舍也 㝗䆡說文康也或从穴 閬高門也 躴長身也 哴號極無聲
曰咣哴一曰兒啼不止 䀶目病 欴欴欶貪皃 䯖博雅䯖䯖骬也 踉跟蹡行皃一曰欲行 輬轒輬兵車 艆舟名 浪
滄浪水名南入江一曰浪浪流皃 崀峻崀山名冬至日所入 硠說文石聲一曰硠硠堅也 琅瓓說文琅玕似珠者一曰琅邪郡古作
瓓俗作瑯非是 鋃說文鋃鐺鎖也 𥎊說文矛屬 莨說文艸也 蒗蒗蒗毒藥艸或从浪 筤筤謂之宏一曰籃也 蓈
稂說文禾粟之采生而不成者謂之董蓈或从禾 根說文高木也一說桄根屑之如麪可食 羹臛也魯頌楚辭急就篇與房漿穅為韻
榔賓榔木名 䳳䳳鷞鳩也 狼說文似犬銳頭白頰高前廣後亦姓 駺馬尾白駺 𩶛蟹其雄曰鯦鰛 蜋蟲名說文堂蜋也一
名蚚父 㢃高也 㼚器名 勆有力也 䣼不䣼邑名通作羹 ○囊奴當切說文橐也一曰有底曰囊無底曰橐亦

姓隸作囊文十一 蠰蠰蟷蠰蟲名蟷蠰也或从囊 欜木名 瀼䨢露盛皃詩零露瀼瀼徐邈讀或从雨 瓤瓤瓠瓜瓣
孃煩擾也 蘘蘘䕅牂蘘艸名皮可作綆古作䕅 ○幫幚縍鞤𢾍逋旁切治履邊也或作幚縍鞤𢾍文
十二 𢹂捍也並也 䣚觪加杯酒曰䣚或从角 彭多皃詩行人彭彭 搒掠也 牥並將牛也 謗毀也 ○滂
雱霶雱鋪郎切說文沛也或作雱霶雱文十三 滂滂溏凍相著皃 磅隕石聲 膀脹也 榜木名 𣂜說文量物
溢也 䧛鎔鑄模也 旁旁礡混同也 䣙鄉名在鮦陽 鎊削也 ○旁旁㫄𢃂雱㝑蒲光
切說文溥也爾雅二達謂之岐旁隸作旁古作㫄𢃂籀作雱或作㝑文三十三 房阿房秦宮名 傍徬說文近也或从彳 㥬㥬惶恐也
彷方彷徉徘徊也或作方 膀髈說文脅也或从骨 趽足曲謂之趽 𨃂跟𨃂欲行皃 䣙說文汝南鮦陽亭
磅隕石聲 稖糖博雅稖稃穄也或从米 蒡艸名爾雅蒡隱荵似蘇有毛可為葅 篣箕屬 騯馬盛皃 螃螃蜞
蠏屬 𤦜𤦜瑭玉名 彭壯也一曰彭亨驕滿皃王肅說 盳盳洋仰視皃 滂水流聲漢書滂濞沆溉郭璞讀 鬡鬡鬤鬆亂也
𣂜量溢者𣂜 嫎女字 𢐀𢏎弦急也或省 ○茫茫謨郎切芒芒廣大皃或从水芒又姓文二十八 硭𣥂

硭砿碭山名或从山从芒通作芒 汒谷名在京兆 邙說文河南洛陽北土山上邑 郱鄉名在藍田 杗梁也 𢅤㡃㠩

周禮㡃氏掌湅絲帛或省亦从巾省 忙心迫也 吂問而不荅曰吂 朚𣈱博雅遽也或作𣈱 䀮目不明也 眪𥇥暑熱也或

蘉勉也 寣寐言 莽莽蒼艸野之色 眖眖洋仰視皃 統絲曼延也 𡾞山名 怗憂皃 畦曠野

或書作畜 㼛女字 ○ 桑𣜽𣟣蘇郎切說文蠶所食葉木也又姓古作𣜽籀作𣟣或書作桒文十四 喪䘮𡂤

𡅃𡅲𡅐𡄹說文亡也从哭从亡會意隷作喪古作𡂤𡄲𡅃𡅐 驦騻馬色黃尾白或从桑 纕纕緗纕淺黃也或从襄

顙頯頯顙也 ○ 倉仓千剛切說文穀藏也倉黃取而藏之故謂之倉又姓奇字作仓文十七 匼說文古器也 蒼岺

說文艸色也又姓古作岺 篬竹色 滄沧凔滄說文寒也古作沧凔或从仌滄一曰水名亦州名 鶬䳥鳥名

說文麋鴰也或从隹 犬倉牛名 瑲玉色 槍槍搪鋸也 鎗食也 傖傖囊亂皃 ○ 藏匨𤮺慈郎切說

文善也又姓古作匨籀作𧂍通作藏文十二 贓受賕曰贓 藏艸名似亂 爿博雅爿㦸也 牂將羘說文牝羊也或作將牂

樣椎也 眻明也 葬瘞也 ○ 藏臧匨𤮺慈郎切說文匿也或作藏古作匨𤮺文八 葬瘞也

大一百三十四 小六百八十 集韻平聲三 四十 那信刊桂何一教

周禮以相葬埋劉昌宗讀 鑶鈴聲 濺没也 𡽀𡾰山高 ○ 鴦於郎切鴛鴦匹鳥文十九 貇狭江東呼貉為豻貇或

从犬 抰打也 黿龜屬頭喙似鴨 佒偃佒體不申皃 姎女人自稱 咉㖃聲 泱泱泱弘大也春秋傳泱泱乎大風一曰水深廣皃

央中央也一曰盡也 鞅博雅鞅罔無賴也 鰊魚名善醒酒 坱塵埃也 㜲小心態 胦脖胦臍也 炴敗也

鉠鉠鉠鈴聲 秧栽也一曰秧穰禾下葉多 眏眏瞟目皃 ○ 炕虛郎切張也爾雅守宮槐葉晝聶宵炕文七 𣢬飲歁貪皃

䀐狼䀐南夷國名 黥黒皃 忼慷忼很戾也 䝮臭也 痳气我 ○ 㱂康糠粇丘岡切說文穀皮也

古作康或作糠粇文二十七 康樂也爾雅道五達為康又州名亦姓 㱂說文飢虛也通作康 㝩㡾說文屋㝩㡾也謂屋

閑或从穴 隒槺蒙 漮說文水虛也一曰水名在伊闕 甗㼧甗瓠陶器或从荒通作康 䁽

躿長身謂之躿躴目皃 郞城名在陽翟 硠硠礚雷聲 蝂蝂蝍蟲名蜻蛉也 炕灼也 礦石聲 嵻嵻㟅

山名在西羌 鄜地名 慷忼慷慨歎也或作忼 閌門高皃 婕女字 ○ 岡居郎切說文山脊也或書作罡通作阬俗作崗

堽非是文二十九 剛但說文彊斷也古作但或作書信 鋼堅鐵 綱綋說文維紘繩也古作綋 畎說文境也一曰陌也趙魏謂陌

爲吭 堈䶂也 亢頏肮說文人頸也一曰咽也或从頁从肉亢亦星名 掆抗扛舉也或作抗扛 棡橫牆木
芫艸名葉似蒲叢生 犅犺說文特牛也或从亢通作剛 迒獸迹 魧蚢說文大貝也一曰魚膏或作蚢 笐說文
竹列也一曰弦加竹謂之笐 阬地名 伉剛正皃後漢書難經伉伉劉太常 蔄山海經小陘之山有艸名蔄葉如葵赤莖白華如蘡薁
𤬪㼚鋼博雅缾也一曰大瓮爲𤬪或作㼚鋼 邟縣名在潁川 ○ 卬魚剛切說文望欲有所庶及也引詩高山卬止一曰我也
文十 昂日升也一曰日明也 䩕說文䩕角鞮屬 駠駠駠馬怒皃一曰馬白腹謂之駠 枊馬柱 㭿斜桷謂之飛㭿 卭說文
昌蒲也 仰靈威仰青帝號 岇岇藏山高皃 昻舉目視 ○ 斻航杭䑥寒剛切說文方舟也禮天子造
舟諸侯維舟大夫方舟士特舟或从舟从木亦作䑥通作杭文二十八 抗舉也 邟邑名在餘杭 沆水流皃一曰渡也 行列也左傳
二十五人爲行 䟘脛也 桁木在足曰械大械曰桁 𦐄䀪鴴鳥飛上曰頡下曰𦐄或作䀪鴴通作頏 吭頏
亢咽也或作頏亢通作肮 迒䟘說文獸迹也或作䟘 魧魚名博雅魧䱤魠也一曰魚骨 蚢紫蚢海貝一曰蟲名食蒿者
芫艸名爾雅芫東蠡 笐笐篖織竹也 吭博雅頸也 肮大脉謂之肮 䊨黃也 忼慨也 妔女字 笐樂器

有紘一曰竹名 ○ 洸汪烏光切說文深廣也一曰池也隸作汪又姓文八 尣𡯂說文尪曲脛也或作𡯂 洸水涌也
眶眶眶目欲泣皃 鵟雉名其鳴自呼 𡛞女字 ○ 巟㠩呼光切說文水廣也引易包巟用馮河或作㠩文三十三 荒說文
蕪也一曰艸掩地也一曰遠也亦姓 𦽒穅萪說文虛無食也一曰果不熟爲𦽒或作穅萪 謊說文夢言也 𥊘䁜目不
明也一曰狼䁜夷國名人能夜市金或作䐠 慌𢙅博雅忘也或作慌 肓說文心上鬲下也引春秋傳病在肓之下 衁說文血也引春
秋傳士刲羊亦無衁也 㡆帍博雅帍幭帳也或从巾 慌㡛忙說文設色之工治絲練者一曰慌隔或从荒从芒 絖
𦃒說文絲曼延也或从荒 㬻旱熱也 駫䮞說文馬奔也或从荒 瓬㼚罌也或从荒 鄺姓也 芒歲在
巳曰大芒駱通作荒 㡆博雅居也通作巟 朚說文翌也 鄺縣名 䀮視也 獇狼屬 嫬女字 ○ 骯枯光切博雅骯
髖罰也 硄石聲 𤮏瓻𤮏瓻破罌 ○ 光炗𤎫𡌬姑黃切說文明也又州名亦姓古作炗𤎫𡌬或書作灮文二十五
洸潢說文水涌光也引詩有洸有潰或作潢 僙侊武也或作侊通作光 侊盛也一曰小皃 胱膀胱脬也 橫門名漢長安北有橫門
桄桄榔木名一曰舟前木也 垙𨹎畖陌也或从阜从田 轒輄車下橫木或从光通作桄 茪

艸名爾雅蕵苦芺芜郭璞曰芺明也一曰蔆也 驥廣 馬回毛在背曰閲驥或作廣 珖 玉名 闣 門關也 横 牀下横木 姯 說文女字

趪 走皃 ○黃𡕛 胡光切說文地之色又姓亦州名古作𡕛文六十四 癀瘇 疸病也或从皇 皇𦤎 說文大也

從自自始也始皇者三皇大君也亦姓古作𦤎 媓 南楚謂母曰媓 趪 走皃 儣 武皃通作趪 遑偟 說文急也一曰暇也或从人

徨 傍徨彷徉也 惶 說文恐也 喤 說文小兒聲引詩其泣喤喤 鍠諻 說文鍠聲也引詩鐘鼓鍠鍠或从音鍠一曰兵器

瑝 說文玉聲也 璜 說文半璧也 𦐀 說文樂舞以羽翿自翳其首以祀星辰也通作皇 簧 說文笙中簧也古者女媧作簧 篁

說文竹田也一曰竹名 䅣𥹸 說文𥝲程也别名或从米 穔 野穀 餭 餦餭餌也 煌熿𦻏 說文煌煇也或从黃

亦作𦻏 䑞䑞 說文華榮也引爾雅䑞華也古作䑞 㞷㞷 說文艸木妄生也古作㞷 堭墴 博雅堂堭壁也或从黃

隍 說文城池也有水曰池無水曰隍引易城復于隍 𨞥 縣名在會稽 鄺 古國名通作黃 潢 說文積水也 湟 說文水出金城

臨羌塞外東入河 艎𦩸 艅艎吳大舟名或从黃通作皇 凰𪀗 爾雅鶠鳳其雌凰或从鳥通作皇 騜𩧉 爾雅馬黃白騜

或从黃 獚𤞣 博雅楚獚大屬或从皇通作黃 鱑鰉 魚名或从皇 蝗 蟲名說文螽也 蟥 蟲名說文螭蟥也 䐵

𡯁 病腫或从允 𣫛 卵中黃 𪎭𥼶 𪎭麰或从米 𤛥 牛名 𩟍 𪎭也 鷬 鸝鷬鳥名 撗橫 艸名爾雅傳横目一名

縷艸或从木 崲 地名南史始寧郡有休崲湖 磺 石名 葟 博雅葟葟茂也 ○徍𧺧 詎王切行征伀也或从走文二

○瘡 磢霜切瘍也文一

集韻卷之三

[illegible]韻卷之三

[illegible]

五福五代堂古稀天子寶

八徵耄念之寶

太上皇帝之寶

五福五代堂古稀天子寶

八徵耄念之寶

太上皇帝之寶